KARAKTER...

KARAKTERMOORD

KARAKTER-
MOORD

Carina Diedericks-Hugo

Uitgegee in 2019 deur Penguin Random House Suid-Afrika (Edms.) Bpk.
Maatskappyregistrasienr. 1953/000441/07
The Estuaries Nr. 4, Oxbow-singel, Century-rylaan,
Century City, Kaapstad, 7441
Posbus 1144, Kaapstad, 8000
www.penguinrandomhouse.co.za

Eerste uitgawe, eerste druk 2019
9 8 7 6 5 4 3 2 1

ISBN 978-1-4152-1017-8 (Druk)
ISBN 978-1-4152-1029-1 (ePub)

Omslagontwerp deur Nudge Studio
Foto op omslag met die vergunning van © Magdalena
Russocka/Trevillion images
Teksontwerp deur Chérie Collins
Geset in 11 op 14 pt Adobe Caslon Pro
Gedruk deur Novus Print, 'n Novus Holdings-maatskappy

Penguin Random House is daartoe verbind om 'n volhoubare toekoms
vir ons besigheid, ons lesers en ons planeet te verseker. Hierdie boek is
op gesertifiseerde Forest Stewardship Council®-papier gedruk.

Vir Bertus Osbloed van Niekerk

Sy het dit nie sien kom nie.

Ons het vir hom gewag. Hy kom nou-nou, het sy gesê. Maar hy het nie. Net weggebly. Soos gewoonlik. Soos altyd.

 Toe hy nie op kantoor was nie, het ons maar gaan rondloop. Doelloos gedwaal in 'n konsentriese sirkel in die maag van Adderleystraat. Vida e Caffè-wegneemkoffies halfgedrink weggegooi. Vingermerke op vertoonvensters gelaat. Drie Peter Stuyvesant-sigarette by die Somaliër langs Edgars gekoop en voor die Hungry Lion aangesteek. Op pad 'n das afgerem en in 'n oorvol blou asblik met sigaretbrandkolle gegooi. Fok dit. Trui oor die kop getrek en in 'n verbaasde bergie in 'n verweerde WP-trui se hande gedruk.

 Terug.

 Spitstyd.

 Mense wat vlug uit bedompige kantore. By deure uitkom asof die torings agter hulle begin tuimel, verbete asof Katrina hulle inhaal.

Hy sou nie meer op kantoor wees nie. Hy sou ook al gevlug het. Soos gewoonlik. Soos altyd.

 Moes hom inhaal. Moes met hom praat.

 Op by die nooduitgang se trappe. Teen die grein.

 Level 1. Gepeupel.

 Level 2. Gatkruipers.

 Level 3. Gatlekkers.

 Level 4. Gatte.

Sy blou Audi het verlate op die gewone plek gestaan. Maar toe was sy daar. Sý. Met 'n bos sleutels in haar hand. Vooroorgebuig. Sy het 'n trui bo-oor 'n bloes aangehad en die trui het bly dreig om haar te verswelg. Haar groot, swart handsak met die goue gespes wou aanmekaar van haar arm afgly. Sy het dit woedend neergegooi. Alles het uitgeval, uitgerol en 'n slordige halfkring om haar gevorm.

Hy was by haar voordat sy iets op die kar se deur kon uitkrap. Dalk 'n gedig of iets meer makaber.

Hy het die lem opgelig voordat sy besef het hy staan langs haar.

Hy het haar vier keer gesteek voordat sy sy naam kon sê.

Hy het die lem aan haar broek afgevee voordat hy weggestap het.

Anna het dit nie sien kom nie.

Sy ook nie.

DINSDAG

I

Anadin. Disprin. Grandpa. Compral. Nee, Myprodol. Sebastiaan Barnard steek met moeite sy hand uit na die bedkassie wat net-net buite bereik is. Demmit. Hoekom skuif Vanessa die blerrie ding altyd 'n ent weg van die bed? Die "bed" in bedkassie maak dit tog heel duidelik waar dit hoort. Verkieslik lángs die bed.

Hy het nie verniet die prys van 'n nier op die swartmark betaal vir die wit IKEA-bed-en-kassiekombo nie. Wat 'n mens ook nie alles doen as jou eerste salarisstrokie 'n vette is nie.

Hy sukkel regop en maak sy oë versigtig oop. Die monster van 'n hoofpyn dreig om sy oë uit sy kop te druk, te groei totdat sy skedel kraak. Hy probeer fokus op die items op die bedkassie. 'n Bottel Jack Daniels (leeg), selfoon ('n liggie flits ongeduldig), beursie (gistermiddag se bultende bestek nou onrusbarend slank), kondoom (onoopgemaak, maar daar kan dalk tog 'n verrassing op die vloer wag), sigaaraansteker (geen sigaar in sig nie, maar dit verklaar die ek-het-'n-asbak-uitgelek-smaak in sy mond), opgefrommelde stuk papier (wat daarop is, is onbekend). Maar geen Anadins, Disprins, Grandpas of Comprals nie. Wat nog te sê Myprodols. Of Ketamine. Daar is nie eens 'n krieketkolf of hokkiestok om homself mee katswink te slaan en te verlos van dié foltering nie.

"Bliksem." Hy lek met 'n droë tong oor sy lippe en staan versigtig op. Rol sy skouers. Rek sy lenige lyf uit. Dadelik vlei 'n sagte katlyf teen sy bene aan.

"Môre, Lisbeth." Hy probeer buk om die roomwit Siamees

te streel, maar 'n naarheid wil hom oorweldig en hy laat vaar maar daardie idee.

Sebastiaan sleep homself na die badkamer. Hy tas in die donkerte op die rakkie bokant die wasbak rond. Buise en bottels tuimel af en hy gaan skakel noodgedwonge die lig aan. Die badkamerkassie staan halfoop en hy kry 'n halwe blik op sy gesig in die spieël.

Hy bekyk die gesig voor hom. Kort blonde hare wat deurmekaar op sy kop staan. Sterk gesig. Donker wenkbroue en dagoue baard. Grysgroen oë. Hy lyk 'n bietjie afgeleef, darem karaktervol vir 37, maar daar is niks aan sy uiterlike wat nie in die kategorie "karakter" kan val nie. Met sy vinger volg hy die litteken wat van net onder sy linkeroog tot by sy ken afkronkel.

"Fokkit, jy lyk verwoes," sê hy vir sy weerkaatsing. Fronsend trek hy sy vingers deur sy hare voor hy die kassie wyer oop ruk.

Geen pynpille.

Hy strompel na die kombuis. Bo-op die mikrogolfoond gewaar hy dit. Die silwerbakkie wat iemand in die een of ander souk in die een of ander Midde-Oosterse land vir hom gekoop het. Made in China. In die bakkie wink die groen-en-rooi kapsules.

Leë wyn- en vonkelwynbottels tol van sy voet af weg toe hy na die wasbak sukkel om 'n glas water te kry. Hy druk twee kapsules uit die velletjie en sluk dit weg. Hy kyk weer om seker te maak en sien daar is net twee kapsules oor. Hy haal sy skouers op en sluk dit ook met die laaste water af. Nog 'n glas water volg. En nog een.

"Aaa." Sebastiaan trek een van die hoë, wit stoele by die kombuistafel uit, gaan sit en laat sak sy kop op die swart granietblad. Hy lig sy kop toe Lisbeth opspring en voor hom kom sit. Haar blou oë beskuldigend.

"Ek weet," mompel hy. "Ek weet, oukei. Ek skuld jou tuna of hoender of iets."

Iewers weerklink die gelui van 'n telefoon. Die koordlose telefoon hier skuins voor hom is stil. Dit moet sy selfoon wees. In die kamer. Die kanse is baie skraal dat hy nou die epiese tog terug na sy kamer gaan aanpak. As dit dringend of opwindend is, sal wie ook al 'n boodskap los. Met die alkohol in sy lyf en die vier Myprodols wat binnekort gaan inskop, sal hy sekerlik in die gang omkap. Dus, maar eerder net sit.

Sebastiaan laat rus sy kop teen sy linkerpalm en met sy reg-terhand streel hy vir Lisbeth. Stadig maar seker begin die pynpille werk. Die aanvalslinie is besig om te retireer. Sy spin toe hy haar onder die ken krap. Hy onthou die studie wat hy in *Time* gelees het van katte en bloeddruk en hartsiektes. Kontak met katte verlaag jou bloed druk dramaties. Honde nie soveel nie. Uit ondervinding weet hy dit goed. Daardie vreksel-se vier Jack Russells van langsaan smeek om twee straatblokke ver geskepskop te word. Sméék. Veral as hy die hele dag moet skryf sonder die vooruitsig van 'n stoep en drank, en die brakke kef en kreun en kef. 'n Mens moet hulle seker bewonder vir hulle uithouvermoë. Laas week was dit nie 'n sekonde minder as vyf ure en veertig minute nie. Gegrrr-grrr die hele fokken dag. In sy boek is dit 'n hele skryfweek. Aan die ander kant, gee vir hom 'n hond wat ten minste tot by sy knieë kom en ons praat weer.

Die telefoon op die tafel begin lui. Lisbeth spring vererg af en 'n magtige katapult skiet 'n rots teen sy kop vas. Hy kreun en tel die telefoon op.

"Wat?" mompel hy.

"Wel, goeiemôre vir jou ook, meneer Barnard," groet 'n heserige stem. "Sê nou maar dit was nie ek nie?"

"Hei, Christina. Ek beter die Lotto, Hertzogprys of Deon Meyer se blerrie kopiereg gewen het. Vir wat bel jy so vroeg, man? Het jy nie maniere nie?"

"Dis elfuur. Wat klink jy so?"

"Hoe?"

"Siek. Of nee, moedeloos. Asof jy pas gehoor het jy moet hoërskool- of eisteddfod-speeches skryf."

Sy lag en Sebastiaan kan nie help om saam te glimlag nie.

"Het bietjie van 'n groot aand gehad. Onverwags."

"Oe. Eina. Wat's die skade?"

Hy kyk na die leë bottels op die vloer.

"Kan nie mooi fokus nie, maar dit lyk na drie KWV Mentors, vier wie se labels ek nie kan sien nie, vyf Osbloed, ses Le Ludes en 'n bottel Jack."

"Jip, dis 'n groot aand. Ses bottels vonkelwyn, sê jy? Vir 'n macho ou drink jy darem baie borrels. Wie was almal daar?"

"Nie seker nie. Dit het begin met 'n lunch by Van Hunks saam met Dawid en kie. Dis mos maar altyd aanvanklik bietjie ongemaklik met hom. Hy's net te loud, so dan drink mens ekstra vinnig en hard. En toe groei die partytjie organies. Ek neem aan ons het op 'n stadium besluit om te verskuif na my huis. Gisteraand het ek gedink dis 'n moerse lekker aand. Nou voel ek net moerse kak."

"Ek verstaan regtig nie hoe al julle skrywers en wynmense so hand om die blaas is nie. As julle nugter is, kan julle mekaar nie verdra nie, maar sodra die drank vloei, raak julle bloedbroers. Hoe werk dit?"

"Nee, fokkit, Christina. My brein hou skaars my longe en hart aan die gang. Ek kan nie nou só 'n vraag prosesseer nie."

"Ek weet wat jou sal regruk," sê Christina. In die agtergrond praat stemme. "Asof dit my probleem is! Hoe oud is jy? Sort dit uit, man!"

"Wat?"

"Skuus. Nie jy nie. Nuwe intern wat so lus is vir werk as ek vir sykouse. Millennials. Ergste ding wat die universe kon tref. Kom vra my alles. Waar koop hierdie kinders hulle joernalistiekgrade? Checkers? Hemel."

"Solank dit nie by Steinhoff was nie."

Christina snorklag.

"Praat jy. In elk geval, waar was ek?"

"Iets wat my gaan regruk."

"O, ja. Kom ons gaan lunch. Yolanda is in Johannesburg, so ek kan wegglip."

Sebastiaan kreun.

"Ek het twee probleme met wat jy nou net gesê het. Een: Ek dink jou skindertydskrif maak jou lui. Tyd om weg te beweeg van die clichés."

"Waar is die clichés?" vra sy gemaak verontwaardig.

"Aggro journo en al daai?"

"Ek stry nie daarmee nie. En die ander probleem?"

"Ek is klam grond. Nee, modder. As ek nou drank in my lyf kry bo-op vier Myprodols—"

"... gaan jy stukke beter voel. Bloody Mary is die oplossing. En tamatiesap is 'n goeie anti-oksidant. Of, nee. Double vodka en ginger ale. Gemmer help vir die naarheid."

"Ek dink nie ek is al nugter genoeg om te bestuur nie."

"Flou verskoning. Wat sê jy altyd? Jou kar ken die pad."

"Ja, maar ek gaan haar nog krap of stamp en dan gaan ek ontroosbaar wees."

"Dan moet jy nie 'n vintage Merc ry nie. Kry 'n Prado of 'n Hummer."

Hy sug.

"Kyk," gaan Christina voort, "wat gaan jy vandag kan doen? Niks nie. Jy sal goor voel as jy gaan lê, jy gaan beslis nie skryf nie, en jy en oefening is in elk geval nie dik pêlle nie. Dus, kom sit rustig saam met my, kuier lekker en drink jou Bloody Mary. Komaan. Jy weet jy wil."

"Oukei. Lisbeth kyk my hoeka beskuldigend aan omdat die een of ander donder 'n druppel rooiwyn op haar gemors het. Waar?" Hy vryf oor sy gesig.

"Ek weet nie. Wat van iewers dingy soos die Vasco, waar die enigste gevaar is dat jy jou in die een of ander sad has-been van 'n digter gaan vasloop? Of die teenpool: Breëstraat? Met mooi meisies en selfs mooier mans?"

"Vasco. Ek kan nie vandag mooi meisies en skerp lig in die gesig staar nie."

"Fantasties! Sien jou oor 'n uur."

Voordat Sebastiaan daarop kan reageer, is daar 'n gepiep in sy oor.

"Right." Hy staan op en strek homself versigtig uit. "Challenge accepted."

II

Malan Sinclair skuif sy stoel effens na links. En dan na regs. Die son skyn fel op sy lessenaar deur die enorme venster agter hom. Geïrriteerd klap hy sy skootrekenaar toe. 'n Mens sou dink dat die maatskappy se tussentydse resultate die bestuur tevrede genoeg sou hê dat hulle nie hulle werknemers verder daagliks aan dié vergrootglaseffek sal onderwerp nie. Hoeveel kan ordentlike blindings nou eintlik kos? Inhalige donners.

Van buite lyk dit goed – een van die indrukwekkende geboue in die Kaapse stadskom, met blou glas en groot naamborde en die aura van depressie wat om korporatiewe milieus hang. Maar binne sit die werkers vir die helfte van die dag, vir minstens agt maande van die jaar, met 'n lig wat uitstekend kon werk in 'n ondervragingskamer in Guantanamobaai.

Hy begin ongeduldig met sy briewemes speel. Die alomteenwoordige lig speel oor die amberhandvatsel en vir 'n oomblik lyk dit nogal mooi. Wel, so mooi as wat enigiets hier kan lyk.

"En nou?" Wynand du Toit kyk sy uitgewer ondersoekend aan.

"Jammer. Hierdie soeklig wat elke oggend op my rekenaarskerm val, gaan my nog waansinnig maak." Hy vryf geïrriteerd oor sy ken.

"Ten minste het jy 'n goeie uitsig op Tafelberg," antwoord Wynand lakonies. Hy skud sy kop asof hy 'n welige haardos het wat hy teen sy rug af wil laat waaier. Eens op 'n tyd hét hy 'n bos donker krulle gehad; vandag klou die laastes in 'n u-vorm om sy bles vas.

Malan antwoord nie en verskuif sy aansienlike gewig op sy swart leerstoel. Die stoel kreun uit protes.

"Kom ons keer terug na jou manuskrip, Wynand." Hy haal 'n spierwit sakdoek uit en vee oor sy voorkop. Sy sout-en-peperhare plak teen sy voorkop vas. "Verstaan ek reg? Jy wil basies die angst van die wit man in Afrika – Suid-Afrika – ondersoek?"

"Dis reg." Die sterk Overbergse bry slaan amper teen die venster vas.

"Is dit nie ... e ... en nou moet jy onthou, Wy, ek moet duiwelsadvokaat speel, 'n tema wat taamlik holrug gery is nie? Ek bedoel, Breyten skryf al jare lank daaroor. Ons het Boetman gehad. Jaco Kirsten. Max du Preez. Selfs in 'n mindere mate Dana Snyman. En dan praat ek nie eens van siele wat lang relase op Facebook kwytraak of verbete twiet nie. Die een helfte pleeg selfmoord of emigreer en die ander probeer hulself relevant hou deur enige platform plat te skryf. Jy is beter as dit."

Wynand se gemoedelikheid flikker vir 'n oomblik soos 'n selfoonbattery wat onverwags en ongeleë dreig om in te gee. Sy klein, donker oë vernou.

"*Ex Africa semper aliquid novi*. Dit kan altyd nuut en vars wees, Malan. Dit hang af van die perspektief en die skrywer se vermoëns. Dus," hy plaas sy enkel op sy knie, trek sy Kalkbaai-bonte broek reg en sit gemaklik terug in sy stoel, "behoort daar geen probleem te wees nie."

Malan se oë rus op die man voor hom. Wynand du Toit. Die grys-en-bleskop-wysheer met sy wit bokbaardjie en konstante, amper vaderlike glimlag wat mense paljas. Vandag lyk hy soos 'n vegan van Vishoek met sy hemp-klere en 'n afkeer van vleiseters; môre loop hy weer met 'n tweedbaadjie rond en eet skaapharsings wat Bertus Basson persoonlik vir hom voorsit. Iemand wie se gemoedelikheid en skynbare lojaliteit maklik 'n halwe pirouette kan maak. Soos gewoonlik voel dit vir hom asof hy aan die dans is met Wynand sonder dat hy die musiek kan hoor. Maar die media eet uit sy hand. Vir verkope beteken dit nie veel nie, wel vir Wynand se profiel as Die Geliefde Skrywer.

"Nou maar dan sien ek uit." Malan slaan weer sy skootrekenaar oop. "Laat ek gou kyk na die publikasieprogram. Wanneer dink jy sal jy die manuskrip kan voltooi?"

"Oktober."

"Reg. Dan kyk ons na 'n publikasiedatum van hier rondom Augustus volgende jaar. Mens sou kon mik vir Junie as ons skouer aan die wil sit, maar dis 'n stillerige tyd in die winkels en eintlik hopeloos te gou. Ons moet nog voorleggings aan boekhandelaars doen en natuurlik 'n mediaplan saamstel. Augustus is beter. Ek sal net by bemarking doodseker maak van die datum en terugkom na jou. Ons moet ook natuurlik kyk na die voorleggingskedule by die groot boekwinkels. En nou die bekendstelling …"

"Augustus?"

Malan knik.

"Dis meer as 'n jaar van nou af." Wynand se stem is rustig en sag, maar met 'n dreigende donderstorm op die horison.

"Jy is heeltemal reg," begin Malan versigtig. Hy rem aan sy blou hempskraag. "Onthou, ons het 'n boek van jou wat ons hierdie week bekendstel. Ons wil nie 'n nuwe boek te gou op dié een se hakke uitbring nie. Die twee werke so na aan mekaar gaan wedersydse verkope kannibaliseer."

"Lyk my nie dis 'n probleem as dit kom by Sebastiaan nie."

"Wy, jy kan nie jou en Sebastiaan se situasies vergelyk nie. Julle skryf in twee verskillende genres. Appels en pere. Chardonnay en sauvignon blanc. Maar ek verstaan jou punt en sal dit bespreek met die bestuur."

"Is jy nie die bestuur nie?"

Malan knipper sy grys oë.

"Ja, natuurlik. Ek bedoel my span."

"Reg so," sê Wynand. Hy strek sy bene voor hom uit en sy gesig vertrek skielik.

Malan hou hom dop. Dit is nou wat 'n tweede dubbele knievervanging aan jou doen. Dalk die rede hoekom hy so baie tyd het om te skryf, dink hy. Nou moet sy arme rekenaar dit pal ontgeld. Geen kans meer om sy dae in sy geel kanoe op die see deur te bring nie. Helaas.

"Goed." Malan vee weer sy gesig met sy sakdoek af. Die son bak op sy nek en hy voel hoe sweet teen sy ruggraat afloop.

Sy selfoon piep. Op die skermpie verskyn 'n boodskap:
Moet ek jou kom red? ☺ *R*

Hy onderdruk met moeite 'n glimlag. As dit nie vir Retha was nie, sou hy nooit die pas kon volhou nie. Wel, eintlik sou hy nie besturende direkteur van Blakemore & Blakemore Uitgewers kon wees nie.

Om die waarheid te sê, sonder sy skoonpa sou hy – met sy postmodernistiese houding jeens sperdatums, begrotings en voorleggings – nie verder as ontvangs gekom het nie.

Malan weet sy sekretaresse hou hom deur die vistenkvensters van sy kantoor dop. Ongemerk knik hy. Wynand is nog besig om vir hom iets te vertel. Hy hoef nie eens te luister nie, want hy ken al die skrywer se repertoire: die kritici se komplot teen hom, Sebastiaan Barnard as voorkeurskrywer, Sebastiaan Barnard as konkelaar, die manjifieke manuskrip waarmee hy besig is, Sebastiaan Barnard as plaaslike én internasionale literêre hoereerder. Niks daarvan is waar nie en Sebastiaan is die heel laaste mens, of in elk geval die heel laaste skrywer wat negatiewe etikette verdien. Die man is 'n briljante skrywer en die leserspubliek eet met reg uit sy hand, maar sy voete bly vierkantig op die vloer van sy kothuis in Tamboerskloof.

Daar is 'n sagte klop aan die deur voordat Retha met 'n

bekommerde uitdrukking op haar gesig inkom. Sy is seker die laaste siel in Kaapstad wat nog snyerspakkies dra. Vandag se kleur is purple rinse. Haar rooibruin hare is netjies agter haar ore ingevou en sy vat-vat daaraan terwyl sy afwagtend na Malan kyk.

"Ek is jammer om te pla, maar die redaksievergadering moes al begin het. En jy het die voorlegging aan die minister van onderwys wat môre moet in wees …"

"Ag, ja. Dankie, Retha. Dis nou vir jou 'n ding. Almal soek maar altyd iets van 'n mens."

Sy knik, knipoog sonder dat Wynand dit kan sien en glip uit.

Malan kom orent en hou sy hand uit na Wynand.

"Ek's jammer ek moet ons gesels kortknip. Ons sien mekaar dan môreaand by jou bekendstelling? Bemarking beloof dat dit 'n skitterende geleentheid gaan wees."

"Ek hoop so." Wynand skud sy hand, tel sy lapskouersak op en stap by die deur uit.

"Drol."

Geïrriteerd steek Malan die briewemes in sy baadjiesak en staar sy veeleisende skrywer agterna.

III

"Another one?" Die rooikopkelnerin lig die leë bottel Mateus Rosé uit die ysbak. Sebastiaan kyk na Christina, wat haar skouers optrek.

"Why not?" Sebastiaan glimlag vir die meisie en hou haar onderlangs dop toe sy wegstap.

"Wie is nou die cliché?" lag Christina en skud haar kop. Die beweging laat haar lang, donkerblonde hare oor haar skouers val. "Wat is dit met mans en jeans wat so styf sit? Sy gaan 'n crowbar nodig hê om haarself daar uit te kry."

Hy draai sy kop skuins en lig sy wenkbroue.

"Regtig? Het jy nou net gevra hoekom kyk ek na 'n vrou met 'n mooi ass? En dit terwyl ek kakslegte, soet Portugese wyn drink?" Hy drink die laaste bietjie wyn uit sy glas. Hy draai die swaar, standaard-restaurantglas behendig om en om sodat die pienk wyn 'n maalkolk in sy glas vorm. Nou nie Riedel nie, maar dis ook nie die plek vir behoorlike wynglase nie. Dis ouens soos hy wat dit breek nadat hy kakslegte Portugese wyn gedrink het. "Ek's al weer dronk. Dink ek. So much vir die anti-oksidantiese tamatiesap."

"Gesellig. Die woord is gesellig." Christina knik vir die rooikop wat stoei met die vars bottel se skroefprop en dan uiteindelik hulle glase begin volmaak. "Ja, ek kan nie glo ons drink hierdie terrible wyn nie. Maar ek love dit." Sy bekyk haar glas. Lek haar duim nat en vee 'n kol langs die kant weg. Sy buig haar kop effens agteroor en neem 'n sluk. Haar nek is slank en melkwit.

"Mens kan nie elke dag behoorlike wyn bekostig nie en selfs al kon ons, sou dit ons dalk net blasé gemaak het. Maar ek sal nou nogals groot geld betaal vir 'n goeie chardonnay." Sebastiaan probeer om nie na Christina te kyk nie. Dis sulke tye wat hy wéét dis waar: 'n Man en 'n vrou kan gewoon nie net vriende wees nie – óf hulle het al saamgeslaap óf hulle gaan daardie pad stap. Hy word bewus van Christina se blik.

"Skuus," mompel hy. "Jy wou sê?"

"Ek vra, skram jy weg van hedonisme? Dis nie soos ek jou ken nie."

"Toe nou nie so eendimensioneel soos jy gedink het nie, nè?"

"Nie eens amper nie. Nog nooit nie."

"Dis my sjarme," sê hy skouerophalend.

Christina gooi haar kop agteroor en lag.

"En nou? Lag jy vir my sjarme?" Hy ken niemand wat so maklik en amper oordadig en baldadig soos Christina kan lag nie.

"Weet jy waaraan dink ek?" Sy wag nie voordat sy voortgaan nie. "Deon Wiggett se twenty-first. Kan jy onthou? Ek dink dit was jou en my eerste dekadente partytjie saam?"

Sebastiaan sit terug en blaas sy asem uit.

"Weet jy hoe baie dekadente partytjies het ons al saam beleef? Dit is 'n goeie ding dat ons nie alles kan onthou nie. En goddank dit was voor sosiale media se obsessiewe boekhou van die goed en veral die kwaad."

"Ag, komaan. Onthou jy dit? Dit was nog daar by Nelson's Creek. Dit was nie lank nie, toe vry Caroline die drie teologie-studente in die wingerd, jou broer het 'n down-down-kompeti-sie gehou én gewen en Erlank het daai aand van gay na straight na bi en toe weer terug na gay gegaan, en ek en jy …"

"Het 'n bottel rosé saam geklap. Onder meer." Hy lig sy glas rosé op en laat klink dit teen hare.

"En toe ..." sê-vra sy sonder om na hom te kyk.

"En toe is ons beste vriende."

"Wat hoor jy van jou broer?" verander sy die onderwerp.

Sebastiaan haal sy skouers op en neem 'n sluk wyn.

"Lodewyk doen goed in Kanada. Moerse suksesvol, kinders raak groot, vrou is mooi ... jy weet, hy lewe die lewe wat sin maak."

"Maak jou lewe dan nie sin nie?"

"Amper nooit nie." Sebastiaan gee 'n skewe glimlag en 'n kuiltjie verskyn in sy linkerwang.

"Wanneer gaan kuier jy weer vir hom?"

"Weet nie. Wens hulle het iewers gebly waarheen mens graag wil gaan. Soos Kreta of Berlyn of selfs fokken Wladiwostok. Kanada is so opwindend soos die tonne sneeu wat op hulle neerdonner."

Daar kom 'n stilte tussen hulle en Sebastiaan laat sy blik deur die restaurant dwaal. Hy knipper sy oë. Daar is reënboogkringe om die ligte.

Dit laat hom dink aan die keer toe hy aan die kuier geraak het met die eienaar van die Absinthe Depot in Berlyn. Mathias, sy Duitse agent, het hom gewaarsku: Praat Afrikaans, praat Fanagalo, praat Esperanto, maar net nie Engels nie. Moenie geselsies maak met die eienaar nie. Moenie eens sy naam vra nie – hy gaan nie joune vra nie. As jy jou kaarte reg speel, verdwyn hy agter die swaar brokaatgordyne en kom skink dan vir jou iets spesiaals.

Eers na 'n paar biere elders het hy daar ingegaan. 'n Paar ure later, na die die eerste handgebare, het die ou man met die Gorbachev-agtige geboortevlek hoog op sy voorkop die egte Franse absint sorgvuldig deur 'n suikerblokkie op 'n ornate lepeltjie gegooi en die groen vloeistof het 'n skynbaar onskuldige melkwit kleur aangeneem.

Sebastiaan het in sy wintersjas langs sy hotelbed wakker

geword. 'n Aand en halwe dag was weg uit sy lewe, maar sy beursie en selfoon was darem nog in sy sakke. Nadat hy hard probeer het om grepe uit die verdwene ure te herwin, was sy enigste terugflits van hom wat in Unter den Linden staan met die Brandenburghek in die verte. Daar het sneeu neergesif en die absint (of dalk was dit gewoon kleinseuntjieverwondering) het reënboogkringe nes dié om die ligte gevorm.

"Waaraan werk jy op die oomblik?" vra Christina en gooi twee ysblokkies in haar glas.

"Niks nie." Sebastiaan skud Berlyn uit sy gedagtes. "Ek is nog in 'n postpartumdepro. En ek weet nog nie wat ek volgende wil doen nie, so ek kan nie begin navorsing doen nie, wat beteken ek kan nie beplan nie, en al hierdie faktore lei daartoe dat ek tans aan niks werk nie." Dit klink vir hom na 'n verskoning. 'n Floue.

"*Slagtersnek* het al maande terug verskyn. Die boektoere is verby. Drie kunstefeeste het gekom en gegaan. Die onderhoude is ou nuus. Hoe kan jy nou nog aan postpartumdepressie ly? Ek dink jy is net vrek lui."

"You say lazy, I say postpartum. Dit kom op dieselfde neer: Ek skryf nie op die oomblik nie. Help nie ek staan met 'n glas voor 'n droë kraan nie."

Christina breek 'n stukkie van die Portugese rolletjie in die rooi plastiekmandjie tussen hulle af en steek dit in haar mond. Haar blik bly reguit, ondersoekend.

"Weet jy? Eintlik is dit nie fair nie."

"Wat is nie?"

"Jy is die suksesvolste skrywer in die land."

"Plaaslike skrywer. En ook nie die suksesvolste nie."

"Nee, nou lieg jy lekker. Jy is al in 'n dosyn tale vertaal. Mense betaal jou om oorsee te gaan. Malan het al hoeveel keer vertel hoe mal die oorsese market oor jou is. Hy kan aandik oor baie dinge, maar nooit daaroor nie."

"Nou lieg jy ook lekker. Hy oordryf áltyd."

"Whatever. Jy is omtrent die enigste skrywer wat nie 'n day job nodig het nie. Jy pop crime bestsellers soos 'n toaster uit. Jy kuier, jy lees, jy reis – jy doen alles wat die res van ons dálk in ons twee-weke-'n-jaar-vakansie kan doen. Ag, nie eens nie, want ons is te donners arm en te gevrek."

"En die punt is?"

"Ag, ek weet nie." Sy sug moedeloos. "Ek's maar net bietjie jaloers vandag. En ek voel so … nutteloos. Ek spandeer my beste jare by 'n skindertydskrif. Regtig. Is dit die toppunt van joernalistiek in ons land? Ek't altyd gedink ek gaan by die journo-departement uitstap en die Christiane Amanpour van Suid-Afrikaanse nuus word. Toe nou nie."

Sebastiaan leun vorentoe en vat haar hand.

"Wroegwerke het hulle gat gesien in die tagtigs. Kyk na sommige van die sogenaamde Tagtigers. Has-beens who have never been. Al wat dit beteken, is dat jy jou lewe en looks waag om stories te kry en te skryf waarop die budgie môre gaan kak. Dink daaroor: Wil jy regtig gaan rondkrap in 'n korrupte politikus se banksake of aantygings van pedofilie, of wil jy Santorini toe gaan saam met die cast van *Sorge*?"

"*Saga*."

"Wat ook al. Wanneer gaan jy?"

"Einde van die maand." Dit laat Christina weer glimlag en sy speel met die wynglas se steel. "Ja, jy's seker reg. Ek brand net om 'n profiel te doen van iemand wat nie rugby speel of banale Afrikaanse musiek uitbasuin nie. Verstaan jy?"

Voordat Sebastiaan kan antwoord, lui haar selfoon. Sy tel dit op, kyk na die skermpie en sug.

"Werk. Jammer. Laat ek gou hoor wat hulle wil hê."

Sebastiaan kyk hoe sy wegstap. Sy het Sophia Loren-kurwes wat hipnoties is. Hy wonder hoekom hy en Christina nooit bymekaar gekom het nie. Hulle is perfek saam … as

26

vriende – ou vriende, smulpape, funksionele alkoholiste, boek-
verslaafdes, stoepsitters, katliefhebbers en eens op 'n tyd – en
soms nog as Jack of die weduwee Cliquot hard gepraat het –
as minnaars. Wat weer bevestig dat mens nie net vriende kan
wees nie. Maar hy wonder steeds wat hom en Christina steeds
'n armlengte van mekaar hou. Eintlik weet hy, maar daar gaan
'n dag kom wat hy daaroor moet kom.

"My geluksgodin se PMS is verby, maar sy het 'n siek sin
vir humor." Christina gaan sit en gooi haar selfoon op die tafel
neer. "Praat van sinchronisiteit. Dit was Yolanda. Sy wil hê ek
moet 'n profiel doen oor 'n skrywer."

"Watter skrywer?"

Christina ignoreer die vraag.

"Ek weet volgende week is dit weer brandwondslagoffers
en die wenners van bakkompetisies, maar hierdie week ..."
praat sy amper met haarself.

"Hei," Sebastiaan skuif haar glas uit die pad en sit weer sy
hand op hare. "Watter skrywer?"

"Jy wil nie weet nie. Skuus, skuus, ek moes niks gesê het
nie." Sy skud haar hare oor haar skouer. "Jammer. Ek's soms
soos 'n blerrie Labrador puppy wat at the drop of a hat opge-
wonde raak – óóropgewonde."

"Sê my."

Christina skud haar kop.

"Man, nou's jy net belaglik."

"Los dit, Sebastiaan. Dis niks. Dis werk. Dis 'n salaris."

"Christina ..."

"Anna Neethling," sê sy sag.

Sebastiaan kreun en laat sak sy kop op sy arms.

"Fok tog," kom sy stem gesmoord voor hy weer opkyk.

"Ek weet. Kan jy my help? Jy ken haar immers ... intiem."
Sy haal 'n Moleskine-notaboek uit haar handsak en kyk fron-
send na hom.

"Christina. Nee. Jy van alle mense behoort te weet."

"Ek ... Sorry. Dit was nou kak styl van my. Maar hier kan ek haar nou ontbloot vir die feeks wat sy regtig is en vir wat sy gedoen het. Aan jou. Aan julle. So, kom ons gesels. Asseblief?"

"Wát? Is jy befok in jou kop? Ek praat nie oor haar nie. Dis jou baby daai. Los my maar uit die storie." Hy drink sy glas met een teug leeg. "Daar is oorgenoeg sad digters wat hier rondhang wat jou kan help."

"Shit. Sorry weer. Maar ek gaan 'n nuwe angle nodig hê. Almal het al 'n duisend keer gelees en gehoor van die nim-like, nimfagtige, nimfomanise dog stylvolle Anna met haar weird romans en toneelstukke, lovers, dekadente partytjies, haar buite egtelike kind en wat nog alles. Jy moet iets weet wat nog nie aan die groot klok gehang is nie."

"Jy kan enige iemand in die skrywerswêreld vra. Ons ... verhouding was beslis nie eksklusief nie." Sebastiaan trek on-gemaklik aan sy wit hemp se kraag, krap-krap dan aan 'n denk-beeldige rosévlek. "En moet jy nou seblief nie ook vir Adam haar 'buite-egtelike kind' noem nie. Die arme kind se lewe is erg genoeg sonder dat *My Mense* dit verder uitbasuin."

Christina se kop is laag oor haar Moleskine-notaboek ge-buig en sy skryf verwoed. Ingedagte vee sy haar hare uit haar gesig.

"Wat skryf jy?"

"Hopelik die begin van haar ondergang."

IV

"Listen, Gabi, I suggest we continue this discussion in Frankfurt at the Book Fair. I know he is relatively new on the international scene, but I really do believe that Sebastiaan's latest is going to make a strong impression on the British market. It did incredibly well in South Africa."

Malan glimlag, swaai sy stoel om en kyk vir Tafelberg. Wynand is reg: Dit is 'n manjifieke uitsig. Hy laat die briewemes met die amberhandvatsel onderdeur en bo-oor sy vingers beweeg en luister nie veel verder wat die Londense literêre agent te sê het nie. Hy het 'n spesmaas hoe hierdie transaksie beklink gaan word. Beslis nie telefonies nie. Eerder oor 'n drankie, en dan … Hy swaai terug en loer op die kalender op sy skootrekenaar.

"Let's say Wednesday evening after the dinner with the Dutch publishers? Eleven o'clock at the Hessischer Hof?"

Malan se kantoordeur vlieg oop. Hy kyk verbaas op en sit die telefoon neer sonder dat die afspraak bevestig is of dat hy haar gegroet het. Ou gewoontes. Instink wat kom van 'n dubbele lewe lei.

"Anna …"

"Malan," verskyn Retha agter die vrou, "ek het probeer keer en gesê jy's besig, maar …"

"Dankie, Retha. Ek sal hierdie … ek sal dit uitsorteer." Hy kom orent, laat val die briewemes kletterend en gee 'n paar treë tot by die besoeker, terwyl Retha retireer en die deur agter haar toemaak.

Die vrou voor Malan se lang, donkerbruin hare hang los en wild oor haar skouers. Alles is swart: die noupassende broek, swart hoëhakskoene en langmou-chiffonbloes waardeur 'n kantbra net-net sigbaar is. Ook haar blou oë is met swart omlyn en staar kil na hom.

"Wat maak jy hier?" vra hy en kyk senuweeagtig oor haar skouer na die glasmure van sy kantoor. Dis eerder 'n ekstra gevaar as 'n troos, want wie kan dalk sien?

Sonder om haar oë van hom af te haal, trek sy 'n vel papier uit haar skouersak.

"Wat is dit hierdie?"

Malan neem die papier en bestudeer dit. Sy maagseer sis suur.

"Dit ... dit lyk soos 'n e-pos van jou redakteur. Van Johan Roos."

"Ek weet wie my redakteur is. Wat sê die e-pos, Malan?" Anna se stem is diep en sag.

"Wel, dit gaan oor jou roman wat jy voorgelê het vir publikasie. Dit blyk dit is afgekeur. Aldus Johan." Hy wil dit teruggee, maar Anna klap sy hand weg en die papier veer grond toe.

"Kan jy sien hoekom ek 'n probleem het met die e-pos?" Malan staar na Anna. Sy boordjie sit te styf om sy nek. Hy wens hy kan ten minste sy das losmaak. Wie dra in elk geval nog das? Haar skerp blik sny deur elke moontlike skans wat hy op sulke kort kennisgewing kon oprig.

"Ek sal jou help." Sy loop om hom en gaan sit op sy stoel. Tel sy bajonet op en begin daarmee speel terwyl sy hom stip aankyk. "Daar is twee probleme. Een: Ek't 'n e-pos van daardie kommaskuiwer gekry. Nie van die besturende direkteur wat al – sonder uitsondering – sestien jaar lank my skakel met hierdie uitgewery is nie. Nee, van sy lakei."

Sy stoel. Tipies Anna. Verskuif die magsbalans. As 'n hartaandoening of aneurisme vir hom voorgelê het, sal dit nou 'n goeie tyd vir dit wees om aan te meld.

"En my tweede probleem: My roman is afgekeur. Afgekeur? Regtig?" Sy spring op. "Wie de hel dink Roos is hy om my werk af te keur? Weet hy wie ek is? Weet hy wat my naam vir 'n uitgewery beteken?"

"Anna, jy weet tog dat publikasie nie 'n gegewe is nie – maak nie saak hoe gevestig 'n skrywer is nie. En kom ons wees nou maar eerlik: Jy het lanklaas 'n boek gehad wat goed gedoen het. Die resensies doen jou beeld meer skade as goed en jou boeke verkoop gewoon nie. In die lig van die ekonomie en ... en die bedreigde posisie van boeke moet ons baie versigtig wees met publikasies ..."

Anna loop om sy lessenaar en kom staan voor hom.

"Dalk geld daardie reëls en oorwegings vir ander skrywers, maar ek en jy het 'n ooreenkoms gehad. Jy het my belówe, Malan. 'As jou roman klaar is, gee ek dit uit.' Dít was jou woorde."

"En dit was in 'n ander tyd, 'n ander plek. In ons albei se lewens." Malan veg teen die versoeking om oor sy skouer te loer of iemand kyk. Hopelik hou Retha die toeskouers weg.

"Jy bedoel, jy het my genaai en in ruil daarvoor sou jy my boek uitgee. Maar toe los ek jou en nou is ons ooreenkoms van die tafel af. Is dít wat jy bedoel?"

Nou raak Malan ook kwaad en sy gesig vertrek.

"Is dit wragtag nodig om so kru te wees? Die woord waarna jy soek, is 'verhouding'. Ons het 'n verhouding gehad. 'n Affair. Dis al. En dis verby. Al 'n geruime tyd." Hy neem haar arm en wil haar na die deur toe stuur, maar sy ruk los en gluur hom aan.

"Ek het nie klaar gepraat nie! Dink jy ek kan nie sien wat jy probeer doen nie? Jy wil my loopbaan saboteer omdat ek die ... ons 'verhouding' verbreek het. En nie een keer nie. Nee, twee keer." Sy lag. "Broos en fragiel, jou ego en jou piel."

Malan klem haar arm stywer vas. As hy kon, sou hy dit afdraai.

"Jy is 'n teef," sis hy deur sy tande. "'n Stukkie wat haarself al in flarde geflenter het. Moenie dink jy het enige bedingingsmag nie. So lank as wat ek hier is, sal Blakemore & Blakemore nooit weer ink en papier op jou mors nie. En wie anders sal belangstel? Hang seker af wie jy nóg genaai het, maar die feit dat jy hier is, bevestig dat jy niks is nie. Jy het géén bedingingsmag nie."

Anna draai haar arm uit sy greep.

"Bedingingsmag? Ek sou sê 'n volle profiel in *My Mense* is 'n begin. Ek sou sê die onthulling van 'n verbode liefdesverhouding is 'n stappie verder. Ek sou sê die waarheid omtrent Adam se pa is iets waaroor almal wonder. Ek sou sê my dagboeke vir eksklusiewe publikasie in *My Mense* is 'n rand of twee werd. En jy wéét ek teken álles in my dagboeke aan." Sy skud haar hare oor haar skouer. "Jy's gefok, Sinclair."

Dit voel of 'n verblindende wit lig skielik in Malan se oë skyn. Terselfdertyd kom daar 'n verlamming in sy arms en bene. Sy hande soek lomp vashouplek en hy kry 'n skouer beet, 'n gewrig. Stamp teen die skouer. Trek aan die gewrig. Kry die deur oop.

"Fokof hier uit! Ek maak jou vrek as ek jou weer sien!" Hy stoot 'n chiffonbolyf met albei hande by die deur uit. Sy stamp terug. Sy kop kap hard teen die metaalkosyn van sy deur.

"Vrek!"

Malan se fokus verskerp. Hy haal rukkend asem. Anna vlug uit die kantoor, maar nie ver van hom af nie staan drie verskrikte gesigte vir hom en kyk. Twee is in die gebou werksaam: Retha en die arme bode van die tiende verdieping. Die derde is sy vrou.

V

"Elaine ..."

Sy vrou kyk 'n oomblik lank na hom met 'n uitdrukking wat saamtrek van verbasing tot verwarring en uiteindelik vernedering. Ironies genoeg dra sy ook swart van kop tot tone, behalwe vir die bonkige rooi krale wat om haar nek gedraai is. Haar bruin hare is in 'n netjiese chignon. Sy lig haar hand om aan haar hare te vat, maar laat sak dit weer. Sy draai om en stap met 'n te regop rug uit.

Malan gaan terug in sy kantoor in en slaan die deur agter hom toe. Sy asemhaling is steeds hortend en sy hande bewe. Fokken Anna Neethling.

Hy vee 'n stapel lêers van sy lessenaar af. Koei, slet, hoer, kont. Dokumente het losgeskeur en lê gesaai om sy voete. Die Departement van Onderwys se logo is op 'n papier wat by een van die lêers uitsteek.

Hy val neer op sy stoel en laat rus sy kop in sy hande. Hy haal diep asem en probeer die woede wat dreig om oor te borrel, koud waai.

Anna. Waar sy is, is daar altyd onmin. Dat sy daai blerrie roman gaan staan en klaarskryf het. Die eerste hoofstuk was al kak. Hy sidder om te weet hoe dit as 'n geheel uitgekom het. En hoekom het daardie moroon van 'n Johan nie vir hom gesê die manuskrip word finaal afgekeur nie? Hoeveel keer moet hy nog vir hierdie klomp letterslawe sê dat hy altyd eers die afkeurbriewe aan gepubliseerde skrywers moet sien? Hoeveel te meer nie as die skrywer Anna Neethling is. As

Anna die waarheid praat oor die profiel in *My Wêreld*, gaan sý wêreld beslis in die rioolpyp af.

Sy selfoon begin lui, maar hy ignoreer dit. Toe sy landlyn 'n rukkie later ook lui, besluit hy om tog maar te antwoord. Hy gryp na die gehoorbuis en laat dit amper val.

"Sinclair."

"Meneer Sinclair? Harry Leysens."

Stilte.

Wie de hel is Harry Leysens?

"Ja?"

Stilte.

Ongemaklike stilte.

"Harry Leysens. Die skoolhoof by Ben se skool."

"Natuurlik. Ja? Hoe kan ek help?" Malan trek sy asem diep in en probeer om sy stem so normaal moontlik te laat klink.

"Meneer Sinclair, ek moet u en Elaine vandag nog dringend sien oor Ben."

"Hoekom?" Nuwe woede stoot soos sooibrand in hom op.

"Soos u weet, is ons almal … besorg oor Ben. En nou meer as ooit, ná 'n ernstige insident vanoggend."

"Watter soort insident?"

"Ek dink dit sal beter wees as ons dit vanmiddag bespreek. 'n Klomp rolspelers is noodgedwonge betrokke en ons moet almal saam besin oor Ben se toekoms in die skool, al dan nie."

"Al dan nie? Wat beteken dit? Luister, ek het nie tyd of lus om na pedantiese, didaktiese stront te luister nie. Ek is 'n besigheidsman met agendas en vol dagboeke. As die kind probleme gee by die skool, is dit jou job om iets daaraan te doen. Ek kom lê nie elke probleem van my besigheid voor jou deur nie."

"Meneer Sinclair, ons praat hier van u seun—"

"Presies. Mý seun."

Malan gooi die gehoorbuis op die mikkie neer. Hy sit vir

'n oomblik stil. Rem-rem aan sy boordjie. Fokken Anna. Fokken lieflike, mal, verterende Anna. Hy vee met sy hand oor sy gesig, soek dan sy selfoon op die chaotiese lessenaar. Hy klem die foon styf vas, huiwer en los dit dan.

Moenie haar kontak nie. Dit was nie net nog een van haar waansinnige uitbarstings nie. Dit is nie meer jou probleem nie. Gaan ook nooit weer wees nie.

Maar elke keer ís dit sy probleem.

Hy skrik toe die selfoon reg langs sy hand begin lui. Hy herken nie die nommer nie en druk dit dood.

Retha klop versigtig aan die deur en stap met 'n stapel lêers in haar arms in. Voordat sy iets kan sê, begin die landlyntelefoon weer te lui. Malan staan op, kyk na die luiende telefoon, die lêers in Retha se arms en die donnerse Johan Roos wat voor sy deur staan en wag. Doodkalm trek hy sy baadjie aan, steek sy selfoon in sy sak, maak seker dat hy sy beursie en motorsleutels het en stap uit.

VI

Sebastiaan sug, buk en draai die kraan wyd oop. Die water is nie baie koud nie, maar laat hom nogtans na sy asem snak. Die drie bottels wyn wat hy in rekordtyd saam met Christina oor hulle middagete gedrink het, het hom nie eintlik dronk gemaak nie – of eerder: nie dronker gemaak nie – net lam. Daardie aaklige lam gevoel wat in jou ledemate gaan sit tussen die babelas en die pad na herstel. Al wat dan werklik help, is om pizza te bestel, op die rusbank neer te val en jouself oor te gee aan ure van TV-reekse.

Hy het amper vir Christina huis toe genooi. Amper. En soos in die restaurant maal hulle verhouding in sy kop. Dis op sulke dae wat hy regtig nie verstaan hoekom hulle nie saam is nie. Pasmaats. Sy het hom al op sy beste en op sy slegste gesien. En alles tussenin. Dalk is dit die probleem. Hulle weet te veel van mekaar. Dit is 'n wanpersepsie dat jy alles van jou partner moet weet. Daar moet die ongekarteerde wees wat plek-plek deurskemer. Om 'n verbintenis interessant te hou – nie om dinge kwaadwillig weg te hou nie. Dis nie noodwendig wat jy wil hê nie, maar dit is wat jy gaan kry. Wat het hy nou die dag van Rodaan Al Galidi gelees? Te dronk om mooi te onthou, maar iets van geheime wat groter word soos die afstand kleiner word. Klein landjies het groot geheime. Dis seker hoekom verhoudings 'n gemors is. En hoekom klein groepies, klein groepies soos dié, se geheime aan die prut is. Onafwendbaar dat dit gaan oorkook. En daarvoor het hy nie krag nie.

Hy drentel by die gang af. Hy stap verby sy studeerkamer. Maar dan gaan staan hy stil, draai om en stap in. Hy skakel die lig aan en bekyk sy skryfruimte. Sy lessenaar is leeg afgesien van die skootrekenaar – hard toegeklap sowat 'n week gelede – in die middel. Teen die muur reg daarbo hang 'n kalender. Regs van die lessenaar, teen die muur, is geraamde grade, sertifikate, eerbewyse, pryse en foto's. Aan die ander kant is weer bokse en lêers wat opmekaar gestapel is. En die linker- en regterkantse mure word heeltemal deur boekrakke opgeneem.

Die sinvolle ding sou nou wees om tog maar voor die TV te gaan lê, Butler's te bel vir 'n enorme pizza en 'n liter Coke, en *Trial and Retribution* of *Wire in the Blood* of *The Killing* te kyk – watter retro-DVD-boksie ook al die maklikste is om raak te vat. Old school. Pre-Netflix en Showmax se nimmereindigende keuses, want keuses is uitputtend.

In plaas daarvan gaan sit hy voor sy skootrekenaar. Hy maak die deksel oop en skakel dit aan. Terwyl die rekenaar lewe kry, kyk hy op na die kalender. Tien dae. Oor tien dae sal dit vyf jaar wees.

VII

Malan se asem jaag weer en sy Italiaanse leerskoene druk hom. Hy kyk vir die eerste keer weer om hom. Langstraat. Hy is nie seker hoe hy hier gekom het nie. Nadat hy uit die kantoor se giftige atmosfeer ontsnap het, het hy blindelings 'n rigting ingeslaan. Net gestap. Vinnig en verbete. Lank. By strate af en ander op.

Hy stap verder, al die pad op tot amper by Kloofstraat, en nou wink die een na die ander kroeg en kuierplek lokkend.

Hy stap by een van die plekke in. Dis donker en ruik na ou sigaretrook, maar het daardie Engelse kroeggevoel. Klein donkerhouttafeltjies met nog kleiner stoele, geraamde pittighede teen die mure. Die redelik beknopte ruimte is gepak met mans in donker pakke. Seker 'n klomp regslui van die advokaatkamers om die hoek.

Malan skuur en skuifel verby lywe wat al reeds onvas rondstaan en gaan staan by die toonbank. Sit sy hande op die blad neer. Hy frons vies vir die taaiheid onder sy hande. Hy lig sy hand op om die kroegman se aandag te trek. Dit neem hom 'n rukkie om Malan raak te sien en hy beweeg teen 'n slakkepas nader. Op sy T-hemp pryk Che Guevara in rastagewaad. Die man se dreadlocks word met 'n geel, groen en rooi bandana uit sy gesig gehou.

"Hey, man. Whaddup?" 'n Paar bloedbelope oë kyk vaag verby sy linkerskouer.

"Double Glenfiddich. No ice, no water."

Mans by die naaste tafeltjie bars uit van die lag oor iets,

sodat Malan se bestelling verswelg word deur die rumoer. Malan sug. As hy krag gehad het, sou hy na 'n ander kroeg gegaan het.

"Glenfiddich. Double. Neat."

"Cool."

Malan plak 'n paar geldnote voor die kroegman neer.

"Keep them coming."

"No problem, man." Behendig en met 'n verbasend stewige hand gooi die kroegman 'n whiskyglas halfvol. Malan gaan sit op die toonbankstoeltjie die naaste aan hom. Hy skuif sy logge agterstewe rond totdat hy min of meer daarop balanseer. Waarom niemand al 'n gemaklike kroegstoel ontwerp het nie, gaan sy en talle alkoholiste wêreldwyd se verstand te bowe.

"Rough day, hey, man?" sê-vra die kroegman half-geïnteresseerd en sit die bottel terug op die rak agter hom.

"Rough life," mompel Malan.

"I feel you, man." Hy draai om drentel in die rigting van die swartpakke.

Malan neem 'n sluk van die whisky. En nog een.

Anna. Sonder dat hy wil of dat hy beheer daaroor het, begin hy beelde van haar oproep. Daardie eerste keer wat hy haar gesien het, destyds by die bekendstelling van die *Groot Verseboek*. André P. Brink was nog die spreker. Links voor hom het 'n vrou met lang hare haar kop ... geswaai. Gedraai. Wel, iets gedoen wat aandag getrek het. Sý aandag. Hy het eers net gemesmeriseer na die agterkant van haar kop gestaar. Daardie hare. Die dringende begeerte om sy vingers daarin te verstrengel. Baie gepas as hy nou daaraan dink, want dis presies wat met enigiemand gebeur wat naby Anna kom. Jy raak verstrengel. Onlosmaakbaar verstrengel.

Subtiel het hy probeer uitvis wie sy is. Gelukkig het Elaine die oud-en-onbelangrikes besig gehou. Uiteindelik kon Johan Roos vir hom sê: Anna Neethling. Een van die Jong Turke van

39

Stellenbosch Universiteit se skryf-scene. Belowend, glo – en 'n roman van haar lê op sy lessenaar.

Net daar het Malan besluit om 'n beleid in te stel dat alle kontak met skrywers deur hom sal geskied. Natuurlik nie as dit kom by die vervelende redigeerproses en die ander banale, tydrowende stappe van boekproduksie nie. Of die vaal skrywers van kunsvlytboeke of geskiedeniswerke nie. Maar beslis die debuutskrywers. Hy sou hulle persoonlik ontmoet, 'n bladsy of twee lees voordat hy dit vir die redakteurs terug-gee en hulle dan vir middagete of vir drankies by die Radisson neem. Daai uitsig oor Grangerbaai ...

Op die lange duur het dit geblyk 'n totaal onpraktiese reël-ing te wees om alle nuwe skrywers so te benader, maar by tye het dit tog vrugte afgewerp. Veral in die geval van Anna Neeth-ling. Dit het ook sy reputasie goed gedoen, want sodoende het hý baie nuwe talent ontdek. Hy sou die eerste en be-langrikste gesig van die maatskappy wees. Die enigste een wat saakmaak.

Die eerste middagete saam. Mario's in Groenpunt. Nou nie La Colombe nie, maar vir dertig jaar al die setel van die Suid-Afrikaanse uitgewerswese. Hy kon skaars aan sy kos raak – 'n rare gebeurtenis vir almal wat hom ken. Anna het 'n storie vertel en ingedagte haar vinger deur die olyfolie op haar kleinbordjie getrek en daarmee oor haar lippe gevee. Toe hy stotterend en stamelend probeer om 'n anekdote oor 'n bekendstelling by 'n kunstefees te vertel, het sy so intens na hom gekyk dat hy – cliché wat dit mag wees – gevoel het hy is al waarin sy kan dink, belangstel, glo. Teen halfdrie was hulle ingeboek by 'n kamer in die Cullinan en om vyfuur het sy uit die bed opgestaan, aangetrek en sonder 'n woord uitgestap. Dit was die begin van amper sestien jaar se waansin.

Hy bekyk vir 'n oomblik die amberkleurige vloeistof in sy glas. Vir 'n verandering luister 'n kroegman as hy sê hy wil nie 'n leë glas sien nie. Mooi. Gewoonlik is niemand so blind soos 'n kelner of kroegman wat nie wil sien nie.

Hy dink byna iemand praat met hom, maar al sy sintuie staan in diens van die herinneringe wat nou opgeroep word.

Anna het sy hele lewe oorheers. Haar boek is in 'n rekord-tyd gepubliseer. Hy het 'n fotograaf op die uitgewery se onkos-te gekry om modelagtige publisiteitsfoto's van haar te neem. Elke kontak wat hy in die media gehad het se arm gedraai vir profiele, onderhoude en resensies. En tussendeur het hy elke minuut wat hy kon saam met haar deurgebring.

Meer as enigiets anders was dit die seks. Sy het haarself met soveel oorgawe aan hom gegee, net om na die tyd belangeloos weg te draai om in haar dagboek te begin skryf. Obsessief in haar dagboek te skryf. Die alewige fokken dagboeke, een daarvan met 'n prentjie op van flaminke. Hy wou iets doen, iets wees wat haar aandag langer as 'n orgasme-snak kon hou. Maar elke keer was hy te laat of te vroeg of gewoon net nie goed genoeg nie.

VIII

"Slapgat Slabbert."

"Balbakker Barnard. Hoeganit?"

"Orraait. Verveeld. Ek bloei deur my oë."

Op die rekenaarskerm: *Plants vs Zombies.* 'n Ertjieskieter blaas 'n zombie se kop weg. Demmit. Sebastiaan maak die speletjie toe en takel *Angry Birds*. Fokken ou games, maar beter as enigiets waaraan mense deesdae verslaaf raak. Hulle gryp na die kleinste dingetjie, net om tydelik te kan vergeet van die feit dat hulle agt uur 'n dag, veertig uur 'n week en honderd en sestig uur 'n maand iemand se slaaf is. En dis steeds beter as om mandalas in te kleur.

"Met ander woorde 'n gewone dag vir jou," kom Slabbert se stem oor sy selfoon.

"Nie vir lank nie. Mits jy natuurlik die een of ander gruweldaad ondersoek wat my volgende boek kan inspireer."

Sebastiaan weet watter toneel hom nou in die Seepunt-polisiestasie afspeel: AO Stefaans Slabbert het pas sy stoel agteruit geskuif en nou laat rus hy sy voete op die lessenaar. Hy het tien teen een 'n paar dossiere afgestamp in die proses, maar Slabbert sal hom nie daaraan steur nie. Die vervoerband wat by so 'n plek glad moet aanhou loop om te verseker sake word spoedig afgehandel, of enigsins, het lankal gebreek.

"Jou kop weer toe?" vra Slabbert.

"Christina het my vandag daaraan herinner dat ek nou my gat in rat moet kry. Dis glo weer tyd vir 'n nuwe boek. Iets om my besig te hou."

"Wyse vrou daardie."

"En?"

"En wat?"

"Jy speel hard to get vandag, nè?" lag Sebastiaan. "Wat gaan dit my kos? Whisky? 'n Moerse kuier iewers in Voortrekkerweg? 'n Paar tafels by Grand West? Of—"

"Luister, Basjan." Stefaans bly vir 'n rukkie stil. Sebastiaan hoor hoe hy in sy sak of iets grawe. Hy soek seker sy pakkie Camel Filter. "Dink jy nie jy moet dit vir die volgende ... die volgende ruk of wat rustig vat nie? Gaan Berlyn toe. Jy laaik mos die plek. Ek weet nou nog nie hoekom Henties nie vir jou goed genoeg is nie, maar dis net my beskeie opinie. Maar as jy tog Henties toe wil gaan, kan jy my karavaan leen. Pop se broer het nuwe bande opgesit. Goodyear. Net die beste."

Daar is 'n sagte geknars soos hy 'n sigaret uitskud en dit in die hoek van sy mond druk. Hy het nog vir Stefaans die Zippo-aansteker met die Harley-Davidson-arend op gekoop. Nou dra hy dit orals saam. Stefaans trek die rook diep in en blaas stadig uit.

Sebastiaan bly stil.

"Hallo? Jy nog daar? Jy orraait?"

Dis so amper of Sebastiaan druk die foon dood. Hý wil onthou. Net hy. Nie ander nie. Ander bring medelye en hartseer oë en simpatie-uitnodigings. Hulle was nie daar nie, so hulle mag nie onthou nie. Hulle is nie daartoe in staat nie. Maar hý onthou baie goed die glas wat spat, die woedende oë, daardie gil.

O, Here. Daardie gil.

"Nee, ek's fine. Ek gaan nêrens nie," sê hy bot. "Toe, het jy 'n saak wat ek kan gebruik? Ek wil nie weer deur twee en twintig ou misdaadreekse moet ploeg nie."

"Mens noem dit plagiaat, Barnard. Maar ja, ek hét 'n paar hier wat jy dalk kan gebruik."

"Soos wat?"

"Messtekery in 'n nagklub."

"Nee."

"Aanranding op die esplanade."

"H'm. Miskien."

"'n Natuurlike-oorsake-dood in die ouetehuis wat verdag lyk?"

"Bliksem, nee."

"Die res gaan jy beslis nie van hou nie. Maar dis amper naweek. Maandag sit ons weer met 'n vet oes."

"Jy's oes, man!" Sebastiaan glimlag egter weer. "Hoe gaan dit met Pop?"

"My Pop. Jong, dis 'n classy een daai. Sê gisteraand vir my sy wil nie meer in Parow gaan uiteet nie. Ek sê vir haar dis net om die draai van die huis af, maar nou wil sy Willowbridge toe gaan. Daar waar al die la-di-da-mense van Durbanville gaan pizza eet wat drie keer soveel kos as by Johnny's, maar sy wil niks hoor nie. En weet jy, Basjan? Hulle musiek is stadig. Mens sou sweer hulle het nog nooit van Kurt Darren of Johnny Cash gehoor nie. Ek dink nie hulle sing in Afrikaans óf Engels nie. Maar dit kry jy nou as jy bo jou gewigklas boks. Classy, classy, classy, my Pop."

Sebastiaan lag. Die liewe Pop is Stefaans se vyf-en-twintigjarige meisie wat as sekretaresse by 'n prokureursfirma naby Tygervallei werk. Stefaans beskryf hulle graag as Parow se glanspaartjie. As hulle uitgaan, is hy altyd onberispelik in sy leerbaadjie, netjiese Harley-Davidson-hemp en jean met die Harley-gordelgespe. Ja, hy het 'n meer senior tipe liefde/obsessie met Harley-Davidsons. Sy roesbruin hare teruggejel en hemp net-net laag genoeg oopgeknoop dat sy goue ketting uitsteek. Pop se donker bob bly perfek, of jy haar nou agtuur die oggend op kantoor of tienuur die aand by 'n braai sien. Haar haar- en naelafsprake is ononderhandelbaar en Stefaans

het al gebieg dat sy in 'n kort tydjie meer op skoonheidspro-
dukte spandeer het as hy op sy GTi se nuwe rims. Sy het groot
donker oë en dra 'n baie spesifieke blou skakering van oog-
skadu wat sy haar handelsmerk noem. Sy gim freneties en pas
tien teen een in dieselfde klere as toe sy twaalf was, want daai
broeke wat sy dra, laat nie veel aan die verbeelding oor nie. Sy
kan weliswaar net oor die Kardashians gesels, maar sy is lief
en doen ou Stefaans net goed.

"Stuur vir haar groete."

"Ek sal, ek sal," sê Stefaans. "Ek't oormôre af. Kom ons gaan
ruk die hol uit die hoender. Pop se baas is besig met 'n groot
saak en sy is omtrent besig, so ek kan nie eens vir haar 'n eet-
dingetjie vat nie."

Sebastiaan trek sy skouers op.

"Waarom nie? Ek moet mos nou in elk geval wag tot Maan-
dag voordat ek met my nuwe boek kan begin. Ek kan netsowel
gaan ballas bak saam met jou, Blink Stefaans."

Sy vriend gee sy diep gie-gie-lag en in die agtergrond hoor
Sebastiaan hoe sy polsketting klingel teen die metaalknoop van
sy leerbaadjie.

IX

Toe die kroegstoel wankel, skuif die toonbank buite bereik van sy grypende hand en Malan val af. Moer af is meer korrek. Sy kop kap teen die stoel langsaan en sy elmboog tref die grond loodreg.

Twee paar hande kry hom onder sy oksels beet en probeer hom regop kry. Dit is 'n bietjie soos 'n naweekvisserman wat 'n blouwalvis probeer uittrek.

"Oukei, oukei. Kom. Op drie. Een ... twee ... drie."

Malan sukkel met hulle hulp orent. Daar staan drie mans voor hom. Nee, twee. Ja, twee. 'n Man in 'n swart pak en die kroegman.

"Ek dink dis genoeg vir vanaand," lag die swart pak. "Ek hoop jy Uber huis toe. Of moet ons 'n taxi kry?"

Malan skud sy kop. Eintlik om van die newel om hom ontslae te raak, maar hulle aanvaar dit as 'n nee.

"I'm fine. Really. I'll walk it off," antwoord hy vir een of ander rede in Engels.

Voordat hulle kan reageer, bars daar 'n rumoer in die verste hoek van die kroeg uit. Malan knipper sy oë om te fokus. Twee mans is aan die stoei by die pooltafel. Iemand se bier val van die rand van die tafel af. Iemand misgis hom met sy stoel en donder af. Die kroegman skud sy kop, stap vinnig soontoe en Swart Pak sluit by sy groeiende geselskap aan.

Malan gebruik elke laaste nugter sel in sy lyf om uit die kroeg te stap sonder om te val. Op die sypaadjie gaan staan hy eers en haal diep asem. Hy stut hom teen 'n lamppaal. Motors is buffer teen buffer soos hulle aankruie berg se kant toe, met rem- en kopligte wat flits soos in 'n disko. Nog 'n teug van die uitlaatgasse, voor hy teen die verkeer terug middestad toe begin strompel.

Daar is drie dinge omtrent Anna wat hom altyd in 'n verblindende wit lig laat staar.

Sy kan verdwyn ... net verdwyn. Waarheen sy gaan of saam met wie, laat sy nooit later blyk nie. Dit is die gewonder, die kommer, die spekulasie, die vermoedens wat hom al soveel nagte laat wakker lê het – nou nog – terwyl hy met walging luister na Elaine se eens vertederende snorkgeluide. In vergelyking met Anna is sy net so gewoon en eenvoudig. Ongekompliseerd. Tot vervelens toe betroubaar. Met Anna weet jy nooit of jy hoegenaamd op haar radar figureer nie.

Niémand weet waar hulle met haar staan nie. Elke keer as hy haar donkerkopseun, Adam, sien, word hy daaraan herinner. Sestien jaar gelede was hy op die punt om sy vrou, sy loopbaan – álles – prys te gee vir die kans om elke oggend langs haar wakker te word. Daardie slanke voet wat sy so tussen jou bene in kan laat gly. Haar hande wat altyd inmekaargevleg is wanneer sy vas slaap. Sy wat elke oggend kaal op haar tone uitstrek terwyl sy na Leeukop kyk. Sestien jaar gelede, net toe hy reg was om van sy ou lewe weg te stap, verdwyn sy weer. Drie maande later was sy terug in Kaapstad. En swanger. Was die baba syne? Hy het so gedink. Selfs so gehoop. Sy het gelag en gesê hy mag dalk die pa van die kind wees, maar so ook Dawid Briers, Wynand du Toit, Sebastiaan Barnard ... Dit was die tweede keer wat die wit lig hom verblind het.

Malan nies en dit gooi hom amper van sy voete af. Met sy een hand stut hy hom weer teen 'n lamppaal en met die ander grawe hy in sy broek- en baadjiesakke vir sy sakdoek. Hy wieg heen en weer. Hy vind dit in sy binneste baadjiesak saam met sy selfoon. Dié haal hy uit. 18:30. Ag, hel. Nege oproepe wat

hy gemis het. Hy wil nie, maar hy moet. Hy sleutel die nom-
mer in en luister.

"You have seven new voice messages. To listen to your new
messages, press two."

"Malan, Retha hier. Net gewonder waar jy is?"

"Message deleted. Next message ..."

"Jou volgende afspraak is hier. Sluk jou Vida-latte en kom!"

"Message deleted. Next message ..."

"Malan, waar is jy? Hier is 'n voorportaal vol mense wat
afsprake met jou het. My verskonings is op. Laat asseblief weet
wat ek moet doen!"

"Message deleted. Next message ..."

"Pa? Ek was nou by jou kantoor. Ons het mos 'n afspraak
gehad. Ek en Ben moet dringend met jou praat voordat jy by
die huis kom en Ma ... Seblief. Bel my net. Dinge het vandag
mal geraak."

Hy huiwer. Elizabeth. Hy voel skuldig dat hy feitlik nooit
daar is vir haar nie, maar sy is nie meer 'n donnerse kleuter nie.

"Message deleted. Next message ..."

"Meneer Sinclair? Harry Leysens. Ek is bevrees ek dring
nou daarop aan om u en u vrou te sien. Die situasie met Ben
dwing my om stappe te doen. Kontak my asseblief dringend
by 082 555 1928."

"Message deleted. Next message ..."

"Malan, ek weet regtig nou nie meer wat om te doen nie.
Bel my! Jou skoonpa het laat weet hy is op pad om die bestuurs-
verslag deur te gaan. Hy is hier om vieruur."

Fok. Arme Retha.

"Message deleted. Next message ..."

"Malan, ek weet nie wat vandag gebeur het nie. Jou skoonpa
is pas hier weg en hy is baie bedonnerd. Ek weet nie of hy
gaan terugkom nie, want hy het net uitgestorm. Maak tog net
seker daardie verslag is môre reg. Ons albei gaan nuwe werk

moet soek as dit nie in is nie. Ek ... ek hoop jy's oukei. En SMS of WhatsApp my tog net as jy hierdie boodskap kry. Lekker aand."

"Message deleted. You have no more new messages. To return to the main menu, press one."

Malan laat rus sy kop teen die lamppaal. So, hier begin dit nou. Sy ondergang. Uit hierdie gemors gaan sjarme en gemoedelikheid, 'n lunch hier en daar, 'n skalkse glimlag vir 'n nuwe redakteur of joernalis, en sy vrou se familienaam en -konneksies hom nie red nie. Nie eens amper nie. Sy skoonpa gaan hom weer laat voel soos 'n derderangse treindrywer wat uit genade 'n posisie agter die stuur het. Anna gaan haar dagboeke vir 'n skindertydskrif gee. Sy seun is glo besig om die pad byster te raak en hy het geen idee hoekom nie of wanneer dit begin het nie. Vir Elizabeth het hy weke laas behoorlik gesien. Sy sit seker vir haar sielkundige en vertel dat haar pa haar nie genoeg drukkies gee nie. Hy haat sy edele, waardige, donnerse patetiese vrou. Hy haat sy lewe, maar dis al een wat hy het.

Vir amper dertig jaar hou sy skoonpa hom al in 'n goue kou gevange. Elke keer wat Frederik Basson se naam opduik, elke keer wat daardie naam op sy selfoon se skermpie flits, elke e-pos wat daardie naam dra, elke weerklink van daardie stem laat hom met 'n knop op die maag en die oorrompelende gevoel dat hy nie goed genoeg is nie. Hy skiet altyd te kort.

Hy het geweet van die nimlike Frederik Basson nog voordat hy Elaine ontmoet het. Wie het nie? Hy was toe al elke week in die koerant. Een van daardie irriterende Afrikaner-adel (dié sonder geld) wat elke dag glo tien kilometer in die sneeu skool toe gestap het, op vyftien glo universiteit toe is en vakansies glo op die treine moes gaan werk om vir hulle studies te betaal. Begin glo onder in 'n maatskappy as bode – en dan raak dinge vaag, want as jy weer kyk, is hulle skatryk, diakens en ouderlinge in die kerk, en die Sondagkoerante neem hulle langs hulle Durban July-perde af en hulle briljantheid word in die finansiële seksie besing. Natuurlik weet almal daardie generasie se "vae tyd" was 'n era toe sybokhaarpakke, swart skoene en 'n geheime handdruk jou reusesponge gegee het.

Malan kom tot stilstand. Sy asem jaag. Hy kan nie besluit of dit weens die inspanning van die stap is, die effek van die drank, vandag se Anna-gemors of die wete dat Frederik Basson bes moontlik aspris nog op kantoor gaan wees sodat hy hom voor stok kan kry nie. Of erger: onaangekondig by sy huis opdaag. Want niks laat Frederik Basson so goed voel as om almal wat hy onwaardig ag by elke geleentheid 'n kop korter te maak nie.

Die lig vir voetgangers flikker rooi by die oorgang. Haastige motoriste waag kanse. Malan lig een voet van die sypaadjie af. Hy kyk regs. 'n Minibustaxi is al toetende besig om teen 'n spoed deur die verkeer te vleg. Malan maak gereed. As sy tydsberekening reg is en hy sit sy voet op die regte oomblik neer, is hy verlos van alles. Van almal.

Die taxi is vyf meter van hom af. En dan trek hy sy voet terug en klou verbete aan die verkeerslig aan dié kant van die pad. Hy slaan moedeloos met sy vuis teen die paal.

Die wit lig van woede verblind hom. Hy kon nou 'n einde aan alles gemaak het, maar soos gewoonlik het hy nie die ruggraat vir kragdadige optrede gehad nie. En nou staan hy nie meer en huiwer by 'n voetoorgang nie, hy staan voor 'n aankomende trein. Die gefluit is al van ver af hoorbaar, maar hy kan nie wegkom nie. Iets hou hom vas. Iemand hou hom vas. Anna. Anna se hande is om sy enkels geklamp.

X

Malan staan by die toonbank en voel in al sy sakke, maar kry dit nie. Sy instapkaart. Hoe het hy dan vanmiddag hier uitgekom? Hy kan om die dood nie onthou nie. Sekuriteit moes seker vir hom die hek oopgemaak het.

Die voorportaal is verlate. Hy kyk op sy selfoon. 18:50. Natuurlik. Hulle is seker besig om skofte te ruil; die nagpersoneel kom seweuur aan diens. Hy gaan voel aan die hek, dis oop. Die sekuriteitsfooie in hierdie gebou is elke sent werd.

Sy voetstappe weerklink oor die teëls. Sonder die kaart sal hy die trap moet vat. Die hysbak se deur skuif egter oop en een van die nagwagte kom uitgestap.

"Naand." Eens op 'n tyd het hy die wag se naam geken, maar hy onthou moeilik onbelangrike inligting.

"Naand, meneer Sinclair," groet die wag.

"Wil jy nie asseblief gou die hyser aan die gang kry nie? Ek het my instapkaart in my kantoor vergeet. Die ouderdom, sê ek jou," probeer Malan gemoedelik wees.

"Sekerlik." Die wag gaan in, druk sy kaart teen die paneel en druk die knoppie vir die dertiende verdieping.

"Het julle al bo toegemaak?"

"Nee, meneer."

Malan knik en stap in. Die deur skuif agter hom toe en die hysbak begin stadig klim. Hy draai eers om toe die deur oopgaan.

Blakemore & Blakemore se kantore is verlate. Die hoofdeur is oop, maar al die ligte is af. Dis 'n goeie teken. Ten minste sit Frederik Basson nie hier en wag om hom aan die strot te gryp nie, maar daar kan dalk 'n onaangename verrassing by die huis wees. Hy skakel met die inkomslag die hoofligte aan en loop na sy kantoor.

Nog voordat hy by sy kantoor instap, sien hy al deur die venster die stapel lêers op sy lessenaar toring. Alles wat hy vroeër van die tafel gevee het, is weer netjies bymekaargesit. Arme Retha. Hy beter haar 'n dag afgee vir die vure wat sy vandag moes doodslaan. Of nee, sy's die enigste een hier wat weet wat aangaan. Hy sal vir haar blomme laat stuur.

Versigtig gaan sit hy agter sy lessenaar sodat die toring nie in duie stort nie. Hy neem die hele stapel en sit dit op die vloer langs hom neer. Die rooi lêer. Dis al waarin hy nou belangstel.

Uiteindelik kry hy dit. Hy tas op sy lessenaar rond vir die briewemes. Hy weet nie wanneer dit 'n gewoonte geword het nie, maar hy kan moeilik konsentreer sonder om daarmee te karring. Dit is eintlik 'n tipe bajonet wat hy nog by sy oupa gekry het, met daardie vreemd gepaste amberhandvatsel. Lank, geroes en eens op 'n tyd imposant. By personeelpartytjies gebruik hy dit natuurlik as sabrage. Dit het weliswaar nog net eenkeer in seker vyftien jaar gewerk, maar gelukkig word redakteurs met genoeg drank oorlaai sodat hulle sulke patetiese pogings tot sofistikasie nie raak takseer nie: 'n Verskote, oorgewig, middeljarige ster wat die jonges probeer beïndruk met sy "vaardighede". Nou hou hy maar die lem skerp, die redakteurs onderbetaal en sy ego in ontkenning. Dalk wanneer hy aftree, sal hy vir hom 'n bokbaard kweek en bont hemde begin dra soos liewe Wynand op sy Vishoekvegandae. Sien hoe hou Elaine en haar donnerse pa dáárvan.

Malan las die soektog na die briewemes af en slaan die rooi lêer oop. Voorlegging aan die Departement van Onderwys. Tender vir die lewering van twintigduisend leesboeke vir graadagtleerders (Afrikaans Tweede Addisionele Taal) in die

Oos-Kaap. Hy snork. Al die moeite om die tender in te dien, met die wete dat hulle nie 'n kans staan teen een of ander saak van die familielid van 'n politikus wat die tender sal wen sonder om ooit die boeke te lewer nie. Want om dit te lewer, sou nooit die plan wees nie. Net soos dit nie Blakemore & Blakemore se plan is om deel te neem aan die tenderproses nie. Die boeke sal in elk geval oor 'n jaar deur die opposisieparty iewers in 'n stoor gevind word.

Malan glimlag en ervaar slegs 'n geringe mate van spanning terwyl hy 'n e-pos aan die Departement van Onderwys tik om hulle mee te deel van Blakemore & Blakemore se onttrekking aan die tenderproses. Hy voel soos 'n skoolseun wat sy man teen die skoolhoof en 'n gemene onderwyser staan. Hy wys die spreekwoordelike middelvinger vir die korrupte regering én sy seniele, dominerende skoonpa. 'n Klein oorwinning, maar tog.

Hy maak die rooi lêer toe en druk dit tussen die lêers op die vloer in. Hy skakel sy skootrekenaar af. Die papiere op sy lessenaar skuif hy bymekaar. Steeds is sy briewemes soek, maar dit sal hom iets gee om môre te doen. Of dit sal later iewers opduik as hy sy persoonlike besittings uit die kantoor moet verwyder.

Hy maak reg om te loop. Vir oulaas kyk hy rond. Nee wat, van by die huis werk sal daar vanaand geen sprake wees nie. Wel, nie dat hy regtig in twintig jaar gewerk het nie, maar dit is goeie rekwisiete ingeval sy skoonpa ongenooid sou opdaag. Hy is suf van die whisky en sy kop skop gedagtes rond voor hulle behoorlik kan land. Hy rits sy skootrekenaar se sak oop en bêre dit daarin. Sy selfoon sit hy in een van die kantsak-kies. Hy frons. Die selfoon is onheilspellend stil. Die hele middag gaan die ding berserk en nou is dit skielik swygsaam? Bekommerd rits hy die sak toe.

Die parkeergarage is donker en stil. Sy motor staan verlate teen een van die verste mure. As besturende direkteur kan hy reg voor die ingang parkeer as hy wil, maar dan bestaan die moontlikheid altyd dat sy geliefde Audi 'n skraap of twee sal kry. En dan is dit natuurlik baie duidelik wanneer hy hier is of nie. Laat hulle – veral sy skoonpa – maar eers moeite doen om uit te vind.

Sy voetstappe weerklink op die betonvloer. By sy motor biep-biep hy met sy sleutel en die kattebak gaan oop. Hy lig sy arm om die sak te bêre en dan vang iets sy oog.

Stadig laat sak hy sy arm. Hy leun effens na links om behoorlik te kan sien. Dit is 'n voet. 'n Kaal linkervoet wat half uit 'n hoëhakskoen gegly het. 'n Voet met 'n mandala-tatoeëermerk.

Hy ken daai voet.

Malan sit sy sak op die vloer neer. Een tree na links. Dit is die kol op die grys beton wat nou sy aandag trek, nie meer die kaal voet wat so onnatuurlik gedraai is nie. Nie eens die duidelike spleetoogskeur in die swart chiffon nie. Nie die trui wat om 'n nek gebondel lê nie. Nie die verstarde blou oë wat in die niet staar nie.

Nee, die woedende rooi vlek waarop Anna Neethling gemonteer lê.

XI

Anna.

Malan steier terug. Vlieg om. Leë garage. Pyn in die linkerarm. Asem jaag. Asem raak op. Pyn skiet na bors. Steek in die bors. Steke in die bors. Anna.

Die rusie. Die dreigemente. Die verstarde gesigte. Die kroeg. Die oorvol kroeg. Die whisky. Die verlore ure. Die algehele gebrek aan alibi. Die kroegbesoek wat dalk teen hom kan tel.

Malan maak die kattebak met bewende hande oop. Hy huiwer, maar buk dan af en kry dit reg om haar aan die boarms vas te vat en op te lig. Hy sukkel met die trui wat dreig om oor haar kop te skuif en hom met leë hande te laat. Koue Anna. Yskoue Anna. Haar hande is kloue langs haar sye af. Hy durf nie weer na haar gesig kyk nie, dan gaan hy dalk sy greep verloor. Hy sukkel, maar dwing haar bolyf oor die rand, keer dat sy teruggly, en dan het hy haar in die kattebak. Sy hande is taai en hy klap die kattebak met sy elmboog toe.

Hy kyk om hom. Die garage is leeg. Net hy, sy motor en die vlek op die betonvloer langs sy parkeerplek.

Langs die hyser is 'n stoorkamer. Hy hardloop soontoe, sy voetval klink onritmies. Pluk die deur oop. Grys plastiekemmer. Kyk rond. Geen water nie. Hy kyk agter die deur. Kraan. Hy maak die emmer vol. Draf klotsend terug. Gooi die water oor die kol. Dun bloederigheid loop in are weg. Hardloop terug. Maak weer vol. Sukkel weer na die motor. Nog water oor die kol. Sy asem jaag. Strompel weer na die kraan toe. Vol. Terug. Gooi. Weg. Anna is weg.

Malan gaan spoel die emmer uit Hy soek na sy sakdoek. Sien 'n ou lap langs die kraan lê. Vee die emmer skoon, die handvatsel, sy hande. Druk die lap dan in sy broeksak.

Anna is weg.

XII

Agter die pilaar druk sy haarself nog stywer teen die koue be-
ton. Haar hande bewe. Hande met bloed op. Sy vee-vee oor
haar jean, maar dit voel asof die taaiheid nooit gaan afkom nie.
Dit was nie eens baie nie, net 'n bietjie op haar vingerpunte toe
sy die sakdoek vlietend in die kol om Anna gedruk het.

Sy kyk hoe Malan die lyk in sy kattebak laai. Die area langs
sy kar skoonspoel. Probeer skoonspoel. Skuldig soos 'n walglike
pedofiel wat buite 'n kinderkransklas rondhang. Skuldig. Want
dit is wat hy behoort te wees. Skuldig.

WOENSDAG

I

Hy trap die rem versigtig by die verkeerslig. Wil nie te haastig lyk nie, ingeval iemand oplet. Nie verdag nie. Nie skuldig nie. Nie te skuldig nie. Hy klem wel die stuurwiel vas om sy bewende hande in bedwang te probeer bring. Kyk nie na die motors en hulle insittendes links en regs van hom nie. Hy is net nog 'n moeë sakeman op pad huis toe. 'n Moeë sakeman op pad huis toe met die lyk van sy minnares in die kattebak.

Malan ruk wakker. Anna. Sy asem jaag. Hy probeer diep asemhaal, maar dis 'n paniekaanval wat al van vroegaand in die skaduwees wag. Sy hele lyf bewe en hy voel klam. Sy blou geruite pajamahemp kleef aan sy lyf. Hy draai sy kop na regs om die klokhorlosie te kan sien. 05:01. Hy hoef nie eens links na die slapende Elaine te kyk nie. Klokslag halftien elke aand neem sy 'n slaappil en 'n "homeopatiese" kalmeerpil wat haar eers rondom agtuur die oggend laat los.

Elaine het dus nie eens wakkergeword toe hy by die huis gekom het nie. Hy het versigtig en kaalgat soos 'n dief deur die huis gesluip ingeval sy gesin hom sou sien. Hy weet nie waar die kinders was nie, maar hy het in die hoofslaapkamer se deur gestaan en luister hoe Elaine snork. Hy het oorweeg om in die gastekamer te gaan slaap, maar hy wou niks buite die normale, sieldodende roetine doen nie.

Hy staan op en loop saggies by die kamer uit. In die gang af. Die dik Persiese mat doof sy voetstappe. Hy maak Elizabeth se kamerdeur oop. Net 'n blonde bos hare steek bo die duvet uit. Volgende na Ben se kamer. Hy is verbaas toe hy die handvatsel draai en agterkom die deur is gesluit. Van wanneer af sluit hy sy deur? Tieners. Dit moes seker wel in 'n stadium kom. Hy is immers al veertien. Of is dit vyftien? Maak nie nou saak nie. Maak glad nie nou saak nie.

Malan haas hom na die garage. Die paniekaanval dreig nou om die oorhand te kry, maar hy haal diep en reëlmatig asem soos 'n skubaduiker wat wil verdrink en verbete probeer onthou wat sy instrukteur gesê het. In die kas in die waskamer langsaan maak hy 'n armvol skoonmaakmiddels bymekaar. Hy neem dit garage toe en sit dit langs die Audi neer. Saggies maak hy die deur na die res van die huis toe.

Vir 'n oomblik staar hy na die motor en stap dan om na die kattebak. Hy wil nie. Hy wil nie. Hy wil nie. Hy wil nie. Hy wil nie.

Hy druk die knoppie op sy sleutel en die kattebak gaap stadig oop.

Dis nou donker maar nie laat genoeg nie. Op die esplanade loop en draf daar nog te veel mense. 'n Meisie met 'n lang, donker poniestert wat heen en weer, heen en weer swaai, hardloop verby hom. Herinner hom aan die donker bos hare agter in sy kattebak, vol taai bloed wat besig is om hard te word. Hy kan parkeer en wag ... Nee. Hy wil nie te lank talm nie. Hy maak 'n u-draai en ry weer op in Kusweg. Regs by die verkeerslig. Verby die SABC waar hy eens op 'n tyd gereeld onderhoude oor die nuutste en beste en mees belowende boeke toegestaan het. Verby die oksidasiegroen fasade van La Perla Restaurant. Kanniedood. Die plek kort al tien jaar lank 'n doodskoot. Volg die kurwe van die pad na links. Hoofweg, Seepunt. Mojo Market. Verby die Chinese winkels, KFC, Saul's dit-en-dat, 'n prostituut wat sy stadig bewegende motor belangstellend dophou, die ewig veranderende winkel op die hoek. Links in Glengariff. Regs in Kusweg. Weer links. Trek by die parkeerterrein

langs Drieankerbaai in. Dit sal nou gedoen moet word. Nou.
Min mense wat iets kan sien wat hulle nie moet nie, en te veel dat
iemand spesifiek na sy bewegings sou oplet.

Malan staar na die kol op die mat van die kattebak. Die ander
een het hy weggespoel en nou bly daar van sy verhouding met
Anna net dié maroen kol oor. 'n Bloedvlek. 'n Skandvlek. Wat
eens gepols het, het gestol en moet nou met alle mag uitgewis
word.

Hy lig die mat uit en lê dit op die garagevloer neer. Hy kyk
onseker na die klompie skoonmaakmiddels. Dink aan die talle
TV-programme oor forensiese deskundiges en polisiesages wat
hy al gesien het en die biografieë van top cops en patoloë wat
hy al gelees het. Enige plek kan daar 'n Hercule Poirot, Piet By-
leveld of Bennie Griessel wees. Bleikmiddels verwyder tekens
van bloed, maar dit gaan die mat vlek. Gebruik hy 'n gewone
matskoonmaakproduk, gaan die een of ander bloulig of flitsie
klik.

Fok dit. Hy het dan juis dié ekstra mat in die kattebak gesit
sodat niks die mat-en-deksel van die kattebak wat so perfek
pas kan bemors nie. Op die rak teen die muur kry hy 'n groen
tuinvullissak. Hy rol die mat versigtig op en druk dit daarin. 'n
Groot stuk steek nog uit. Malan vloek, haal die mat uit en kyk
in die garage rond. Teen die mure hang gereedskap in OCD-rye.
Hoekom in vadersnaam dit enigsins daar is, weet hy nie, want
dit is nou nie asof sy hande al vir iets reg gestaan het nie. Iewers
herinner hy hom aan 'n ontwerper wat die garage kom oordoen
het toe Elaine weer een van haar tuisteskeppingsbevliegings
gehad het.

Hy staan op en bekyk die muur. Snoeiskêr. Perfek. Hy haal
dit van die muur af. Dit is nog steeds in 'n plastieksakkie. Hy
ruk dit oop en gaan sit steunend op sy hurke en begin die mat
op te sny. Hy sny dit in vier stukke en nou pas dit maklik. Hy

wil die sak toeknoop, maar tel dan die bottel Jik op en maak
dit binne-in leeg. Die sak hou, al bol die onderkant. Liefs dit
in nog 'n sak of twee sit.

Fokkit! Sy hemp en broek. Sy hemp en broek met die bloed
op. Afskeidsvlekke van Anna. Hy lig die deksel in die kattebak
op en grawe die klere uit wat hy gisteraand desperaat onder die
noodwiel ingedruk het voordat hy hom kaalgat badkamer toe
gehaas en onder 'n stoomwarm stort gaan staan het. Druk die
bondel by die res in. Tevrede knoop hy die boonste van die drie
sakke toe en sit dit neer. Tel dit weer op en skud dit om seker te
maak die bleikmiddel lek nie uit nie. Selfs Bushie Engelbrecht
sou moeilik kon bewys dat die mat syne was en dat daar bloed
op was. Hy moet nog net dink hoe en waar om daarvan ontslae
te raak.

Bietjie vir bietjie ry hy agteruit teen die helling af tussen die par-
keerterrein en stoorruimtes voor die baaitjie. Die twee keer wat
hy dit al gedoen het, het Wynand agter gestaan en beduie. Nie 'n
maklike ding om 'n motor gat eerste langs 'n steil afrit te maneu-
vreer nie – veral nie as jy 'n betonmuur aan die een kant het, rotse
aan die ander en net 'n lappie landingsplek voordat jy in die see
donner nie. En nou is dit pikdonker met net 'n sliertjie maan.
Hy hou stil toe hy dink hy is naby genoeg. Was dit die eerste of die
tweede stoorruimte? Die tweede, besluit hy. Hy klim uit sy motor
en staan 'n rukkie lank na Drieankerbaai en kyk. Dwing homself
om nie te dink aan die gruwelvonds in sy kattebak nie. Luister na
die geklots van die branders teen die rotse. Probeer om die paniek
en angs net 'n aks ligter te maak. Helder te dink. Plan te maak.
Bedags is die baai die poort see-in vir roeiers en skubaduikers.
Snags word dit 'n doodskis vir digters en skrywers.

Malan skakel die stofsuier af en bekyk die kattebak. Elke hoe-
kie en sentimeter het onder die kragtige suigaksie deurgeloop

en die mat-en-deksel is silwerskoon, net ingeval die los boonste mat nie alles gekeer het nie. Nou is Anna regtig weg.

"Wat maak jy?"

Hy skrik en laat val die stofsuierpyp.

Elaine trek die spierwit kamerjas se gordel stywer en vou haar arms om haar maer lyf.

"Ek ... ek kon nie slaap nie. Gedink ek sal my kar skoonmaak. Hoekom is jy so vroeg wakker?"

"Ek weet wat jy doen. Jy dink ek is bewusteloos. Dom. Naïef. Ek weet mos dis om tekens van ... haar te verwyder. Jy dink ek gaan haar nie ruik nie? Nie haar hare teen die kopstut sien nie?" Sy skud haar kop en kyk vir 'n oomblik af. Haar hande bal en hy sien blou are teen die vel beur.

Malan staan versteen. Die angs druk sy longe toe. Wat weet sy alles?

"Destyds het jy belowe dit is verby. Dit was tydelike waansin."

"Dit was ... is verby."

"Ag, asseblief. Jy het gister die teendeel bewys aan my en jou personeel." Haar gesig vertrek onaantreklik. "Julle probeer nie eens meer subtiel wees nie. Jy probeer nie eens meer om jou verneukende dolk in my te steek nie!"

Malan se brein spoed deur die moontlike antwoorde wat hy kan gee, maar dan het sy reeds omgedraai en weggestap.

Goddank vir Wynand en sy vaste patrone. Dit is steeds hier. Die kombinasieslot. Hy sukkel daarmee, sy vingers dom van die bewery, voor dit oop klik. Hy moet aan die slot rem voordat dit heeltemal oopgaan – die seelug eis sy tol. Hy trek die groot houtdeur oop. Dit is donker en ruik na vrot seewier. Hy haal sy selfoon uit sy sak en gebruik dit as 'n flitslig. Ja, Wynand se stoorruimte het lanklaas lug en lig gesien. Goddank ook vir Wynand se swak knieë. Drie kano's is skeef bo-op mekaar gestapel. Drie duikpakke hang teen die een muur. 'n

Groot plastiekhouer loop oor van skubaduiktoerusting en reddings-baadjies. Handdoeke en klere is hier en daar neergesit of -gegooi en het so bly lê, omring deur rommel van alle soorte. Goddank dan ook vir Wynand se totale gebrek aan sindelikheid en orde. Goddank vir die see wat altyd materie vir homself sal opeis.

Malan kyk op sy horlosie en sien dat dit al amper seweuur is. Dit voel of dit ure moet wees sedert hy die kar skoongemaak het, gaan stort en begin aantrek het. Hy knoop sy hemp vas en vermy sy blik in die spieël. Hy hoor 'n gewerfskaf in die kombuis. Ontbyt. Hy sug en stap die kombuis binne.

Grieta is besig om worsies en roereier te braai. Elaine sit met 'n koppie koffie voor haar, haar antieke silwer pildosie paraat langsaan. Kleinerig, fyn-Victoriaans met *Elaine Elizabeth* daarop gegraveer. Haar ouma het dit vir haar gegee. Die idee is dat elke draer van die familiename die dosie sal kry. Die idee was seker nie heeltemal dat dit aangewend sou word om antidepressante, pille vir angssteuring, kalmeer-middels, slaaptablette en die hemel weet wat nog in te hou nie.

Malan gaan sit in die eetkamer en slaan die koerant oop wat by sy plek lê. Snaaks hoe sy lewe so gereguleer en presies en so donners vervelig geraak het. Elke oggend berei Grieta 'n ontbyt voor wat vullend is indien nie altyd besonder heilsaam nie. Elke oggend wag 'n koppie vars koffie en die koerant. Papier, nie elektronies. Elaine drink haar koffie en op 'n gegewe stadium kom die kinders in. Soos nou. Voorheen was hy eintlik skaars bewus van hulle teenwoordigheid, maar vanoggend is alles anders. Alles.

"Môre!" Elizabeth kyk nie na hom of haar ma nie. Sy lyk netjies. Gaan sit netjies. Gooi haar graanvrye muesli netjies in 'n papbordjie. Net 'n bietjie melk. Amandelmelk uit 'n pienk melkkarton. Dié word natuurlik ook netjies oor die muesli gegooi.'n Netjiese kind.'n Netjiese ramp wat seker wag om te gebeur.

Hy is meteens te bang om verder as die koerant se hoofblad te kyk. Sou iemand al agtergekom het Anna is weg?

Dan besef hy daar het nog nie genoeg tyd verloop nie, dit voel maar net so. Hy het egter pas alle belang by ander, irrelevante nuus verloor en vestig sy aandag op sy dogter.

"Hoe gaan dit by die skool, Ellie? Jammer ek het jou nie teruggebel nie. Dit was omtrent 'n dol dag."

Netjies sit sy haar paplepel neer. Kyk 'n oomblik lank na hom en skud haar blonde hare oor haar skouer. Teen die kante van haar kop is twee kleiner vlegsels wat in haar groter vlegsel inloop.

Sy lyk soos 'n meisie van Maasdorp wat by die Vikings aangesluit het.

"Dis oukei. Ek ... ek wou iets gevra het."

"Ja?"

"Ek het reggekom, dankie." Sy tel weer haar paplepel op. "Ons het môreaand 'n debatskompetisie teen Bellville."

"Is dit so?" Malan probeer geïnteresseerd klink en lyk, maar sy vinger torring aan die regterkantste onderste hoek van die koerant – reg om om te blaai. "Dis mos jou kos."

"En hoe gaan dit met Pappa? Enigiets opwindend gebeur? Iets interessants?"

Malan voel sy kop 'n ruk gee.

"Nee. Hoekom vra jy?"

"Ag, ek wil maar net hoor hoe dit met Páppa gaan." Elizabeth kyk hom stip aan.

"Jy weet mos. Die boekbedryf is vervelig. Moenie dit eers oorweeg nie, hoor." Malan sluk aan die spanningsbol in sy keel.

"Ek sal nie." Sy kyk lank na hom. Dit lyk of sy iets wil byvoeg, maar dan pieng haar selfoon. Sy stoot haar papbordjie weg en haal haar foon uit.'n Klein glimlag kom sit om haar mond.

"Wie maak jou so gelukkig?" vra Malan. Sy vinger torring-torring steeds aan die koerant.

"Trev." Elizabeth kyk nie op nie en haar vingers beweeg blitsvinnig terwyl sy 'n boodskap tik.

Malan knipper sy oë. Trev? Wie of wat in hemelsnaam is Trev?

Ben kom kromskouers ingestap en gly op die stoel links van Malan in. Grieta sit 'n bord roereiers voor hom neer wat hy vinnig by sy mond in begin skoffel. Sy pikswart kuif verberg sy bleek gesig. Sy wange lyk uitgehol. Wanneer het dit gebeur? wonder Malan. Wanneer het sy kind sy hare swart gekleur en begin lyk soos 'n ... wel, soos 'n lyk? Amper soos Anna wat agter in sy kattebak gelê het. Die paniek laat slaan sy hart soos 'n bongodrom.

"Sê jy nie môre nie?" vra hy en stamp speels aan sy seun se arm. Ben ruk dit weg en mompel 'n skaars hoorbare "Môre".

"Wanneer het jy jou hare so gestraf? Kla die onderwysers nie?" Hy merk nou eers behoorlik op: "En hoekom het jy nie skoolklere aan nie? Is dit civviesdag?"

Ben kyk hom aan deur die swart gordyn.

"Is jy fokken ernstig?" Hy spring op, stamp sy stoel in die proses om, gryp sy bord van die tafel af en smyt dit teen die muur dat die stukke en kos oral spat.

"Ben!" Verstom kyk Malan hom agterna. Wie is hierdie stug, onaangename, smerige, swartkopkind? Wat het geword van die blondekop wat sy rugbybal vir dood onder sy arm vasgeklem het terwyl hy eet?

"Ai, Pa." Elizabeth staan op, steek haar selfoon in haar baadjiesak, dek haar papbordjie en leë glas af en loop uit.

Malan wil nie na Elaine kyk nie. Hy weet haar oë rus beskuldigend op hom. Ja, hy moes seker agtergekom het dat sy kind oornag in 'n karakter uit 'n Gotiese roman verander het. Die goed word ook so blerrie gou groot. Die hemel weet, hy kan hom nie nog daaroor ook bekommer nie. Die kind het mos 'n ma, 'n kredietkaart en 'n sielkundige – dieselfde een as sy suster. Meer kan hy wragtag nie vir Ben doen nie.

"Meneer Leysens wil ons dringend sien oor Ben. Geluk dat jy vanoggend uiteindelik gesien het daar is fout met ons kind." Elaine se stem kom afgemete. "En daar is Saterdagaand 'n braai by die skool. Ons gaan. Al is dit so ... banaal. Jy het laas toe die kinders in die laerskool was 'n skoolfunksie bygewoon. Dis nou te sê as Ben nog in die skool is teen Saterdag. En as óns dit maak tot Saterdag."

Malan laat sy oë besluiteloos heen en weer oor die stoorruimte gaan. Dat hy haar hier sou kom los, was die plan, maar hy het nog nie gedink waar presies nie. Dan sien hy dit. 'n Drom. 'n Swart munisipale drom, die ou soort met 'n los deksel. Dit staan halfverberg tussen die rommel. Hy stoot 'n pad oop en klouter met moeite verby die drie kano's tot by die drom, lig die deksel af en skyn met sy selfoon binne-in. Dit is leeg. Dit is perfek.

II

Malan staar na die liggies bokant die hysbak se deur. 10 ...
11 ... 12 ... 13. Hoe gepas dat dit hom op die dertiende ver-
dieping inwag; die ongeluk wat hom al meer as twintig jaar
lank volg. Blakemore & Blakemore Uitgewers. Gestig deur
sy skoonpa, die legendariese Frederik Basson. Tiran, despoot,
diktator. Seniele ou man. Die poppemeester wat regstaan met
die skêr om die drade te knip as hy nie sy sin kry nie. Intussen
het hy al lankal Malan se ballas afgesny. Hy beheer sy loop-
baan, sy huwelik, sy familie, selfs sy donnerse vakansies.

Wat sal gebeur as die gebeure van die afgelope vier-en-
twintig uur aan die lig moet kom? Hý weet hy het niks met
Anna se moord uit te waai nie, maar hy lyk skuldig soos die hel.
Geen alibi. Hy het net verdwyn. Waarheen? Na 'n kroeg. In die
middel van die dag na 'n hewige uitval met sy gewese minnares.
Vir 'n paar uur was hy onbereikbaar. Hy het nie eens soos enige
ander normale mens wat by die afgrond staan sy sorge met die
kroegman gedeel nie. Wat hom dalk dan sou onthou het. Maar
toe gaan staan en kies hy die grootste daggakop in Langstraat.
Ja, hy wou geselsies maak, maar hy twyfel of die siel in elk geval
vandag nog enigiets daarvan onthou. Hy is in elk geval nie die
enigste dronklap wat van sy stoel af gefoeter het in daai plek
nie. En die lyk was langs sý kar. Het hy die moord gepleeg?
Nee. Kom weer, boeta. Snip-snip, sny ou Fred die laaste draad
en laat hom val in 'n sel met 'n 28's-bendeleier as geselskap vir
die res van sy lewe. Buk, Sinclair, buk.

Die hysbak se deure gaan oop en Malan stap uit. Hy haal

diep asem en stap dan by die kantore in. Vandag moet hy sy eie lewe red.

"Retha! Môre, my engel." Glimlag, glimlag, glimlag.

"E, môre, Malan." Huiwerig. Sy druk senuweeagtig haar hare agter haar oor in. Vandag dra sy'n kanariegeel snyerspakkie met'n groen blaarborsspeld.

"Jammer oor gister. Ek het my foon op silent gesit, lyn gesny na Newport om bietjie werk gedoen te kry, en toe hap dit my aan die gat. Nou sit ek met meer werk." Demmit, dink hy. Wat sê hulle van mense wat lieg? Te veel inligting. Hoekom praat hy van Newport? Die donnerse deli is nie die Spur nie. As iemand moet vra of hy daar was, sal hulle kan sê ja of nee. Hy is so'n regular dat hy min of meer hulle maandelikse huur dek. "Jy weet mos, my blom," krabbel hy flou terug.

"Nee, geen probleem nie. Almal het soms'n stil tydjie nodig. Ek was net effens bekommerd." Retha kyk hom met leepoë aan. Mooi. Elke bestuurder het'n PA nodig wat verlief is op hom of haar. Dit maak die lewe net soveel makliker.

"Was my skoonpa al hier?"

"Nee, hy het laat weet dat hy in vergaderings is. Hy sal seker later hier'n draai maak."

Dalk is daar tog'n god. Nou nog net die enorme swart olifant in die kamer op'n manier aanspreek.

"O, ja. Voor ek vergeet. Kyk asseblief of jy vir Anna in die hande kan kry. Maak'n afspraak dat sy hiernatoe kom. Sê ook vir Johan hy moet daar wees. Ons sal hierdie gemors met haar manuskrip so gou moontlik moet uitsorteer."

Retha knik.

Malan stap sy kantoor binne. Sy hart tamboer in sy ore. Sy palms is natgesweet. Hy kyk oor sy skouer en sien Retha glimlag vir hom. Weet sy iets? Vermoed sy iets? Nee. Onmoontlik. Hy glimlag terug en knipoog.

'n Stapel briewe lê op sy lessenaar. Genade, is daar steeds

71

soveel mense wat nog nie gehoor het van e-posse nie? Hy tas rond en hervat gisteraand se soektog na sy briewemes. Trek laaie oop. Skuif boeke rond en lig selfs die lêers op die vloer op.

"Retha!"

Sy kom staan in die deur.

"Het jy my briewemes gesien?"

Sy skud haar kop.

"Jy weet daai ding is soos my security blanket. Kyk of jy dit nie iewers sien nie."

III

"Right, Christina. Ek hoop jy sal nou ophou bitch en moan oor die kak assignments wat ek jou gee. Waar staan ons met die Anna Neethling-storie?" Yolanda Niemand trek haar vingers deur haar kort, rooi hare.

"Ja, ek skuld jou 'n hele wynkelder," sê Christina met 'n gedwonge glimlag en slaan haar Moleskine oop. "Oukei, ek het vinnig met Anna gepraat, maar ek sukkel om haar weer in die hande te kry. Ek't solank met 'n klomp van haar ..."

"Nee, verdomp, man. As ek weer wil hoor wat haar pa en lovers te sê het, sal ek 'n dag op Google spandeer. 'n Dag wat ek nooit sal terugkry nie. Onthou my voorwaarde: Ek soek iets oor haar wat nog nooit gepubliseer is nie. Sy het pertinent gesê dit gaan oor 'n insident op die negentiende – moenie my vra wat dit was of watter maand of jaar nie – en 'n gebeurtenis wat mense gaan skok. En sy het allerhande beloftes gehad oor onthullings en dagboeke. Soos ons haar ken, was sy mal van liefde of lust terwyl sy daarin geskryf het. Goud, mense. Goud." Yolanda leun met 'n seningrige boud teen die muur. "Daai love child van haar. Wat's sy naam nou weer?"

"Adam."

"Dis reg. Hy speel saam met my telg krieket. Oulik. 'n Mooi kind. Ek wil weet wie sy pa is. Dít is die scoop wat ek soek, Christina. Dit is wat jou lesers wil weet. Ons weet alles anders van haar af. Ek soek daai scoop. Kry vir Vusi om die pics te neem. Laat daar 'n traan rol wanneer sy praat oor haar seun se pa. En ek hoop jy't nie met karma geneuk nie, want ek soek 'n mooi dagboekinskrywing wat daarby pas, hoop dis moontlik. Natuurlik wil ek hê die kind moet snik oor die gebrek aan 'n pa-figuur in sy lewe – met Vusi byderhand. Hou hom ten alle tye byderhand. Jy weet nooit wanneer die kak gaan spat nie."

"Het dit," mompel Christina. Sebastiaan was reg: Die arme kind verdien nie om onder die vergrootglas geplaas te word nie. En dis wat hulle nou gaan doen. Korreksie: Dis wat sý gaan doen. Sy en haar flou, misplaaste ambisie. Vir die mediareus waarvoor sy werk, is sy net nog 'n miertjie wat moet rondskarrel. Sy kan nou protesteer … of nie. Niemand hou van 'n wit meisie met 'n wit graad wat werkloos is nie. Jammer, Adam.

"Begin by Malan Sinclair," gaan Yolanda voort. "'n Uitgewer, publicist, agent, ensovoorts, ensovoorts en weet altyd van die juice."

IV

"Malan Sinclair." Hy sit agteroor in sy kreunende ergonomies korrekte stoel, dankbaar vir 'n oproep wat sy aandag van die beuselagtighede van sy werk kan aflei. En die paniek wat kort-kort opnuut dreig om hom te oorval.

"Malan, Wynand. Hoe hardloop jou perde vandag?"

Malan knyp sy oë toe. Gott im Himmel. Wynand is op die aarde geplaas om uitgewers te straf vir hulle uitspattighede. Karma is inderdaad 'n teef wat by die Mount Nelson sit en vonkelwyn drink op 'n sonskyndag en haar verlustig in die lewens wat om haar uitmekaar spat.

"Afrikaans se mees geliefde skrywer! My perde wag vir jou by die wenpaal. Waar's jy?"

Malan gee 'n gie-gie wat 'n mens gewoonlik in mafiafilms by ondergeskiktes hoor wat kort voor lank 'n looddood gaan sterf. Nee, dis wensdenkery. Hy klink gewoon vals.

"Ook daar, ook daar. Man, ek skakel eintlik om te hoor of jy al iets van Anna gehoor het?"

Malan verstyf en voel hoe sy hand begin bewe, die een wat nie die gehoorbuis vashou nie.

"Anna? Watter Anna?"

"Anna Neethling. Adam het geskakel en gevra waar sy is. Blykbaar het sy nie gisteraand huis toe gekom nie."

"O, ja?" Malan se hand tas rond op die lessenaar. In plaas van die briewemes gryp hy 'n pen waarmee hy dadelik op 'n vel papier 'n stokfiguurtjie begin teken. Dit is al manier hoe hy sy hand kan kry om op te hou bewe.

"Ja?"Wynand-die-Geliefde-Skrywer se stem klim die nodige vraag-toontrap: "Ek verstaan sy was gister daar by jou kantoor?"

Malan voel hoe sy maag begin borrel.

"Inderdaad. Inderdaad. Ja, ou Anna. Sy was hier. Baie ontsteld. Jy ken mos haar buie."

"Soos jy sê, inderdaad." Die Geliefde Skrywer gee weer 'n skynlaggie. "Ag, ek dag maar ek vra jou. Jy weet. Julle geskiedenis en die feit dat jy haar gister gesien het."

Vanoggend se roereier stoot in sy keel op.

"Ou Anna, inderdaad." Sluk-sluk aan die surigheid. "Soos jou geskiedenis met haar jou ook geleer het." Teefklap. Vat so, Wynand.

"Reg, ek wou maar net weet of jy van haar gehoor het?" Malan hoor egter moeilik deur die gesuis in sy ore. Slegs die toon van Wynand se stem gee vir hom 'n aanduiding van wat hy sê en die antwoord wat hy verwag.

"Nou maar mooi. Laat ons perde verder hardloop." Malan bal sy vuiste en haal diep asem. "Laat my weet as jy iets hoor."

"Dis reg, Malan. Ek sal nie wil hê dat jy die laaste een is wat die nuus kry nie."

"Watter nuus?" vra hy vinnig. Té vinnig.

"Net wanneer sy haar verskyning maak, dis al. Of wat het jy gedink?"

"Nee, dit. Ook dit."

V

Malan kyk na die vel papier voor hom. 'n Meisie. 'n Meisie met lang hare. Hy teken so sleg dat die arme stokfiguurtjie soos die produk van 'n aand van passie tussen Cruella de Vil en Voldemort lyk. Hy draai sy kop skuins. Die gesiggie is nie soseer lelik nie, maar baie duidelik bóós. Amper soos Anna.

Hy frommel die papier op en skiet dit in die snippermandjie. Vir 'n oomblik sit hy besluiteloos. Hy kan nie sy vingers stil hou nie. Hy't vanoggend se koerant amper voos getorring. Nou kom hy weer agter hy trek-trek aan 'n fyn draadjie van sy pienk Savile Row-hemp wat losgekom het. Dit is baie, baie moeilik om jou gat uit die tronk te hou, te wonder watter maniak in die maatskappy se parkeergarage rondsluip en boonop onskuldig te lyk en te maak asof hierdie Woensdag so gewoon is soos enige ander.

Hy tel die telefoon op.

"Heerser van my wêreld, kon jy al vir Anna in die hande kry?"

"Malan!" giggel Retha. "Ek kry haar nie in die hande nie, maar ek sal aanhou probeer. Dit is nou maar eers halftien. Hopeloos te vroeg vir haar."

"Hou my op hoogte. Lyk my die hele wêreld soek na haar en nou vra almal my waar sy is." Malan lek oor sy droë lippe.

Voordat Retha kan antwoord, begin 'n selfoon iewers in sy kantoor lui. Hy tel syne van die lessenaar af op. Dit is stil, maar die gelui dawer voort. Hy staan op en kyk rond, probeer die oorsprong vasstel. By sy boekrak word dit harder.

77

Hy steek sy hand agter die boeke in, voel rond en raak aan 'n voorwerp wat niks anders kan wees nie. Teen die tyd wat hy dit in sy hand het, het die gelui opgehou.

Fronsend bekyk hy die vreemde selfoon. Wat maak dit hier? En belangriker: Wie s'n is dit? Hy sien op die skermpie daar is 'n paar missed calls. *Unknown number. Unknown number. Adam. Wynand. Adam. Adam. Adam.* Sy hande begin weer bewe. Hy druk op die groen knoppie en kyk na die oproepgeskiedenis. Die missed calls is boaan. Dis nie nuus nie. En dan, om 17:33: *Malan.* Die laaste oproep wat gemaak is.

Hy gaan sit weer, gryp sy eie selfoon en gaan deur sy oproepgeskiedenis. As daar nog 'n baie vae hoop was dat dit 'n ander Malan is, spoel daardie hoop nou weg. Die laaste oproep wat hy gister ontvang het, was om 17:33 van *Neethling, Anna.* Hy probeer dit onthou, maar sy geheue is so leeg en swart soos die drom in die stoorruimte voordat hy Anna daarin gestop het.

VI

'n Klop aan die deur laat Malan opkyk. Vir 'n oomblik staar hy net na die persoon in die deur, en skuif die selfone eenkant op sy lessenaar.

"Malan?"

Malan staan op en dwing homself om te glimlag.

"Christina?" Hy gee wat hy hoop is 'n joviale laggie. "Skuus, man. Ek was nou so ingedagte, ek moes soos die dorpsidioot gelyk het. Kom sit, kom sit."

Sy sak op een van die stoele voor sy lessenaar neer. Malan sit gemaak-behaaglik terug in sy leerstoel.

"Jammer ek val sommer so in," begin Christina, "maar ek't gehoop ek vang jou op 'n stillerige oomblik. Jou sekretaresse was nie nou by haar lessenaar nie, so toe glip ek in."

"Natuurlik! Wat kan ek vir jou doen?"

"Ek doen 'n profiel oor Anna Neethling."

Christina sit haar selfoon tussen hulle neer en skakel die opneemfunksie aan.

Malan se hande bewe nie nou nie. Hy het alle gevoel daarin en in sy voete verloor.

"Wel, eintlik probeer ek 'n nuwe angle kry. Anna het ons insae in haar dagboeke belowe. Dis nou te sê as ek haar in die hande kan kry."

Die doodsheid kruip teen sy kuite en teen sy voorarms op. Van sy blaaie af vorentoe.

"Jong, dis maar Anna vir jou. Toevallig soek ons haar ook, maar sy het die gewoonte om so die pad te vat."

Christina glimlag en haar blik talm op Malan.

"Kyk, Malan. Jy weet ek was nog altyd 'n fan. Jy het kleur aan die Afrikaanse uitgewersbedryf gegee. En ploerte soos ek geleer van goeie musiek en kos."

Hy knik, maar voel of hy stadig in 'n hoek in gevlei word.

"Ons kom 'n lang pad saam, so ek gaan eerlik met jou wees. Ek stel nie belang in jou en Anna se ... geskiedenis nie. Ons soek 'n nuwe angle – sy het iets gepraat van die nag van die negentiende? Ons weet nie waarna sy verwys nie. En ons soek Adam se pa. As iemand sal weet, is dit jy."

Die koue slaan rem aan net voordat dit sy hart kan bereik.

"Adam se pa?"

Sy knik.

"Ag, Christina. Die arme kind. Los hom tog. Hy's 'n goeie knaap. Hoekom krap julle nou daar?"

Christina hou haar hande in die lug.

"Ek stem saam. Ek was nie gelukkig met die opdrag nie – te kompleks en bloedskandelik, maar toe sit dit my tog aan die dink. As ons nou 'n simpatieke, sensitiewe benadering volg, sal hy nie te na gekom word nie en word hy minder van 'n prys vir die trofeejag-joernaliste. Sekerlik is dit in sy beste belang? Dat hy Anna se seun is en 'n Neethling, sal altyd nuuswaardig wees."

Malan begin effens ontdooi. Luister mooi, antwoord versigtig, maan hy homself.

"Jy het 'n punt beet," antwoord hy vaag. "Jy vra net die verkeerde persoon. Ek weet nie wie die pa is nie. Ek sal verbaas wees as énigiemand weet."

Christina sug.

"Ek begin dink hierdie kind was 'n proefbuisbaba."

"Seker." Sy repertoire van ontwykings raak nou gevaarlik beperk. Hy kry egter 'n idee en sit regop. "Ek sê jou wat. Wanneer Anna se volgende boek verskyn – wat binnekort sal wees – sal ons haar probeer oorreed dat die onthulling van wie Adam se pa is 'n tsoenami van publisiteit sal verseker."

Sy knik tevrede. Voordat sy egter iets daarop kan sê, lui 'n selfoon. Outomaties lig Malan die een naaste aan hom op; syne. Maar dit is nie die een wat lui nie. Hy kyk vraend na Christina, hoewel hy reeds besef het dit kom van hier langs hom. Sonder om te kyk wie bel, druk hy die oproep dood.

"Dit gaan goed met die uitgewersbedryf as jy twéé selfone het," spot Christina.

"Dis vroulief s'n," mompel Malan. "Ek raak deurmekaar met die goed."

"Nou ja, laat ek verder na Anna gaan soek." Sy staan op, stop die opname en bêre haar selfoon.

"As jy met haar praat, sê tog asseblief vir haar sy moet ons bel." Malan voel hoe karma oorslaan van plaaslike MCC na Dom Pérignon.

"Maak so."

Galant begelei hy Christina by sy kantoor uit.

"Malan," keer Retha hom voor. "Elaine het gebel. Jy moet haar asseblief op haar selfoon terugbel."

Hy vang uit die hoek van sy oog dat Christina se mond oopgaan asof sy iets wil sê, maar dan glimlag sy net en stap aan.

VII

Dawid Briers staan met sy arms voor sy bors gevou in die vatekamer. Sy boerboel snuif-snuif tussen die wynvate rond. Sy kort grys hare is deurmekaar en 'n rooigrys skynsel slaan deur sy dagoue baard. Hy het die tipiese wynmakersuniform aan: kakiekortbroek, T-hemp met die komplimente van een of ander gis- of kurkprodusent, bruin Rossi-enkelstewels. Hy lyk soos Trompie sou gelyk het as hy uiteindelik grootgeword het. Hy lig sy kop op, asem deur sy neus in en luister. Herre, hy sal nooit moeg word vir die reuk van gistende druiwe nie. En daardie fyn geborrel en geprut van die sap nie. Die blerrie droë somer het hulle minder druif gegee, maar die hel weet, hier kom mooi wyn.

"Dawid?"

"Jisja." Hy draai halflyf om na sy assistentwynmaker wat pas moes ingekom het. Sy beweeg altyd so suutjies.

"Jan het gebel. Lyk my ons kan die chardonnay môre afhaal."

"Balling?"

"Twintig."

"Nee, man. Daar's nie 'n manier nie. Daai suikervlak is te laag. Ons wag totdat ons by drie-en-twintig kom. Bel hom terug en sê hy moet wag. Of nee, ek sal hom nou bel."

"Oukei. Ek gaan dan solank die chenin se samples na Vinlab stuur."

"Reg so."

Dawid kyk sy wynmaker agterna. Charlie is jonk en mooi.

Op 'n natuurlike manier. Korterige bruin hare met 'n kroontjie wat haar soos Kuifie laat lyk, groot groen oë en vol lippe wat nooit onder blerrie taai lipstiffie weggesteek word nie. En 'n blerrie goeie wynmaker. Hy gooi homself eerder in die parsmasjien as om dit te erken, maar sy is beter as hy. Baie beter. Hoofmeisie van die jong vroue wat deur Stellenbosch se kelders opruk na die binnekamers van die boys' club. Onbewustelik trek hy sy skouers op. Dit is onafwendbaar. Die girls sou wel in 'n stadium aan die deur kom klop het. En eerder iemand soos Charlie as 'n balknakker in groen gumbootse.

Sy selfoon lui en hy grawe dit uit sy broeksak en stap vinnig by die vatekamer uit. Hy herken nie die nommer nie en huiwer eers vir 'n oomblik, maar hy antwoord in elk geval.

"Briers."

"Haai, Dawid. Christina hier."

"Christina! Van waar af bel jy? Ek het amper nie geantwoord nie."

"Ha. Asof jy ooit nie jou foon antwoord nie. Jy's te bang jy mis 'n paartie."

"Ook waar. Ook waar."

"Luister, ek bel van die kantoor af. Ek is dringend op soek na Anna Neethling en dit lyk of sy verdwyn het. So dramaties soos dit nou ook al klink."

"Ag, herre. Moenie vir my sê julle gaan al weer iets oor haar doen nie."

"Eerder ek as iemand anders. En immers hoef ek dan nie nou te skryf oor blinde babas of swanger sepiesterre nie. Sy het óns actually genader. Ek het gewonder of jy dalk 'n ander nommer vir haar het? Volgens haar seun het sy nie gisteraand huis toe gekom nie."

"Dis niks snaaks nie."

"Ek weet, maar steeds."

"Ja, kyk, Chrissie. Ek is mos maar eintlik pêlle met haar pa.

83

Haar sien ek net dan en wan en dan meestal by een van Malan se paarties. Of het altyd. Laaste klompie kere sedert ... ag, jy weet wat ... was sy nie daar nie. Bitterlik bly, want ek wil fokkol met daardie vrou te doen hê. So, sorry. Kan jou nie help nie."

"Hoe het dit gebeur? Dis nog altyd vir my weird gewees dat jy en haar pa so hand om die blaas is. Ek bedoel, die man is 'n poephol. G'n wonder sy dogter is van haar rocker af nie."

Dawid trek weer sy skouers op. Hy weet hoe dit gebeur het. Danksy sy pa se konneksie met Conradie Neethling het die ou walgwors ingegryp toe die universiteit hom uit die koshuis wou skors. Hy weet nog steeds nie hoekom hulle nie 'n topless-kroeg kon hê as die meisies gewillig was nie. Báie gewillig was nie. Die sterk bewoorde brief deur die hoofleraar van die Moedergemeente op Stellenbosch waarin sy lof so besing word, het die universiteitsbestuur genoeg gepaai om die skorsing te laat vaar. En dan sê die lefty liberals die Broederbond was nét boos.

"Weet jy, hy is eintlik nie. Dis Anna wat hom 'n demoon genoem het in een van daardie gedigte van haar. Die ou top is moerse konserwatief, so dit help nie. Slaat jou met die Bybel as jy nie betyds koes nie. Maar eintlik is ons almal maar 'n poephol in 'n mindere of meerdere mate. Dis wyn wat ons menslik hou. Die groot gelykmaker. Dis hoekom 'n vegan en geheelonthouer ver van my af moet bly."

"Nou maak jy my lus vir kuier," sug Christina.

"Kom plaas toe. Vrydag. Bring vir Sebastiaan saam. Ons proe uit die vate en gooi iets op die vuur. Ek dink daar is nog springbokrug in die koelkas."

"Klink great. Maar terug na Anna. Sal jy dan maar asseblief haar pa se nommer vir my stuur? Miskien weet hy watter windrigting sy ingeslaan het."

"Ek vermoed jy gaan die ou top net die moer in maak," waarsku Dawid. "Daar's twee goed wat hy háát: As iemand hom bel en as Anna ter sprake kom. Maar ek stuur vir jou."

"Thanks. Ek waardeer. Sien miskien dan Vrydag."

Dawid druk sy foon terug in sy broeksak en staan besluiteloos.

Daar's 'n koevert in sy lessenaar se onderste laai. Dit het gister vir hom by Van Hunks gewag. Die hele wêreld weet hy hy sit daar en bras Dinsdagmiddae as hy klaar sake gedoen het. Die kelner het net sy skouers opgetrek en gesê iemand het dit gebring en een van die ander kelners moes dit gevat en langs die kasregister gelos het. Dit is 'n growwe bruin koevert soos dié waarmee hulle op skool hulle pornografie rondgestuur het. Hy het dit oopgeskeur en amper laat val toe hy sien wat binne-in is. En hy weet hy is nie die enigste een wat so 'n koevert gekry het of gaan kry nie. Hy huiwer en haal dan maar weer sy selfoon uit. Skakel 'n nommer. Hy is nie verbaas toe dit oorskakel na stempos nie. Hy skud sy kop en probeer meer opgewek klink as wat hy voel.

"Lloyd! Dawid hier. Luister, Dok, jy sit seker nou weer in Churchhaven of is besig om 'n kind se stukkende knie toe te werk, maar ons moet gesels. Laat weet my wanneer. Dis … e … dis dringend."

VIII

Sebastiaan sluk die laaste van sy dubbele espresso weg, vou die koerant op en wink die kelnerin nader.

"Kan ek die rekening kry, asseblief?"

"Nie 'n derde een vandag nie?" glimlag sy en lig haar wenkbroue.

"Ag, jy hou nou so aan," spot hy. "Ja, wat. Hoekom dan nou nie?"

Sy knik en stap weg.

Sebastiaan haal sy selfoon uit. Miskien moet hy hoor of Stefaans lus is vir 'n kuier. Klein Saterdag in Parow; 'n moeë buurt wat nooit uit die maalkolk van armoede en zef kon klim nie. Maar op 'n manier is dit 'n plek waar hy tuis voel. Geen pretensie, geen beheer. Almal het 'n stukkie zef in hulle. Dit klink bietjie of hy by Jeanne Goosen aangesteek het, maar ons ís almal so.

Sy selfoon begin lui en toe hy sien wie dit is, huiwer hy voordat hy antwoord.

"Hei, Dawid."

"Sebastiaan! Hoe staan sake?"

Sy vriendskap met Dawid is soos 'n jag op see. Soms is dit die beste plek om te wees. Daar is son, stil waters, mooi meisies, fantastiese wyn. Ander kere is jy in 'n perfekte storm vasgevang en al wat jy kan doen, is om verbete aan die mas vas te klou en te hoop en bid die boot sink nie en jy daarmee saam nie.

"Lui en lekker, dankie. En? Hoe lyk die pars? Ek weet jy

het my nou die middag by Van Hunks vertel, maar my alko-
holiese geheue het nog nie ingeskop nie. Ek hoop nie jy neuk
my wyn op nie."

"Blerrie wingerd het min gedra, maar hier kom 'n ding.
Moes bietjie rondspeel en ek dink dit gaan werk. Tjomme sê
ek jaag aan en ou Piet Plesier dink klaar ek's duur asyn aan
die maak. Maar ek gaan soos 'n buiteperd om die draai kom
en gat wys."

"Musiek in my ore."

"Luister, Christina het my nou net gebel. Sy soek vir Anna.
Dié is glo weg. Is dit net weer 'n ou laai van haar of is sy regtig
weg?"

Sebastiaan frons en verskuif die selfoon na sy ander oor.

"Ek het geen idee nie. Hoekom vra almal vir my? Jy weet
hoe ek oor die saak voel. Hoe verder ek van haar af kan bly,
hoe beter. Sy's 'n fokken tsoenami."

"Ja, sorry. Ek wou nie nou krap waar dit nie jeuk nie. Dis
net, ek het vanoggend ... Toemaar."

"Wat van vanoggend?"

"Nee, niks. Anyway, ek het vir Christina gesê ons moet fles-
vat. Kom Vrydag plaas toe."

"Oukei. Sien jou dan," sê hy.

Sebastiaan sit vir 'n rukkie met sy foon in sy hand. Anna.
Sy is soos 'n bloedkol wat jy verdomp nie uitgewas kry nie.

IX

Ben stap vinnig by die straat af. Trek sy swart hoodie laag oor sy voorkop. Druk dan sy hande terug in sy sakke. Sy regterhand vou om die banksakkie. Hy klem dit vas. Sy linkerhand maak 'n klou om sy selfoon. Hy hou sy hande daar, want anders gaan hy 'n venster uitslaan. Of iemand random bliksem. *Ek haat hom. Ek haat hom. Ek haat hom. Ek haat hom. Ek haat hom*, haak dit in sy kop vas soos 'n kak earworm.

Sy foon vibreer in sy sak. Hy haal dit uit en sien dis 'n boodskap van sy suster.

Done. Kry my by @ shad.

Ben draai om en stap terug skool toe. Hulle gaan seker uitfreak as hulle hom sien, maar hy gee nie om nie. Hulle moet pasop of hy freak weer uit. Kyk hoe hou hulle daarvan. Simpel, kak skool.

Elizabeth en Trevor staan en rook langs die meisies se aantrekkamers toe hy by die swembad aankom. Trust sy suster om voor die hele wêreld te staan en rook en nooit in die moeilikheid te kom nie.

"Gee vir my 'n trek," beveel hy en hou sy hand uit.

Sy draai haar kop skuins.

"Jy't nie maniere nie, Ben." Sy trek diep aan die sigaret en blaas die rook stadig uit terwyl sy dit vir Trevor aangee.

Ben snork. Hy haat Trevor. Kon sy suster met 'n groter loser uitgegaan het? Is kamstig 'n musikant, maar sy musiek is kak. En hy loop altyd kaalvoet met sulke wye meisiebroeke rond. En Ben wil regtig daardie kak bolla van hom met 'n mes afsny. Nou het hy nog bruin hare ook, so dit sit regtig soos 'n drol op sy kop.

En as hy eers so aangaan en aangaan en aangaan oor liefde en joy en peace en sulke kak, wil jy naar word. Verkieslik booor hom.

"Whatever," sê Ben en vou sy arms. Hulle moet maar hulle sigaret druk. Hy weet wat hy in sy sak het. En hy weet waar Elizabeth dit alles wegsteek. Toe nou nie so kak slim nie. En as Oupa moet uitvind hoe sy haar sakgeld verdien, sal hy definitief nie meer dink sy is so kak oulik nie. Die ou bal dink mos die son skyn uit haar gat.

"Dit is gedoen," sê Elizabeth.

"So what? Ek het jou message gelees."

Sy kry hom aan die skouers beet en skud hom.

"Ons het die hele, hele aand gestaan en copies maak in Michaelis. En dit gaan afgee sonder dat iemand ons sien. Weet jy hoe moeilik was dit?" Nog 'n skud.

Hy ruk los en stamp Elizabeth van hom af weg. Blitsvinnig klap sy hom deur die gesig. Geskok vat Ben aan sy brandende wang. Sy hand skiet uit om sy suster terug te klap, maar Trevor gryp sy arm vas.

"No, dude, not cool." Trevor kyk bekommerd na hom.

"Moenie met jou kak kom nie!" Hy ruk los uit Trevor se greep. "Wat doen hý in elk geval hier?" wil hy by Elizabeth weet.

"Hy het gehelp om te begin om die gemors skoon te kry." Haar stem is laag en sag. Ben wil haar nie in die oë kyk nie. Hy weet, as sy só praat, word haar Barbie-blou oë lemme wat jou keelaf kan sny.

"Wat doen ons nou?" vra Ben. Sy wang brand asof hy met sy kop op 'n warm stoofplaat gaan lê het, maar hy gaan hulle nie die bevrediging gee om nou weer daaraan te vat of, nog erger, te lyk asof hulle kak hom pla nie.

"Nou wag ons," sê Elizabeth. Sy keer haar rug op Ben, vleg haar vingers deur Trevor s'n en stap saam met hom weg sonder om te groet.

X

Christina kyk nog 'n keer na die nommer wat Dawid aangestuur het.

"Bel nou net," praat sy met haarself. "Hoe gouer jy dit doen, hoe gouer is dit verby. Trek jou big girl panties aan."

Die foon het skaars begin lui, toe 'n moeë stem antwoord.

"Neethling, goeiemiddag."

"E, goeiemiddag, doktor Neethling. My naam is Christina Ackerman en ek skakel van *My Mense*. Ek is op soek na u dogter en ek het gewonder of ..."

"Asseblief. Julle weet mos nou teen hierdie tyd. Ek praat nie met joernaliste nie. En veral nie met júlle nie."

"Nee, ek het begrip daarvoor, maar ek is nie op soek na kommentaar van u nie. Dis net, Anna het ... wel ... verdwyn en ons sukkel om haar in die hande te kry. Daar is 'n paar van ons – onder andere u kleinseun, Adam – wat begin bekommerd raak. Ek wil net weet of u dalk 'n alternatiewe nommer vir haar het of weet waar sy dalk mag wees?"

"Luister nou mooi, dame. Ek sê weer: Ek praat nie met die geelpers nie. Nie oor my sake nie en beslis nie oor my dogter nie. Hoe vaer die konneksie tussen ons twee is, hoe beter. Sy bring net ongelukkigheid waar sy haar ook al bevind. Dis al."

Die oproep word onseremonieel beëindig.

Christina kyk geskok na die gehoorbuis in haar hand. As jy vir 'n skindertydskrif werk, raak jy gewoond aan enige soort reaksie. Maar dis 'n eerste.

"Bliksem," sê sy en skud haar kop.

Sy trek haar Moleskine nader en skryf die name onder-
mekaar.

Sebastiaan Barnard
Malan Sinclair
Dawid Briers

Langsaan, in 'n aparte kolom, skryf sy groot: *ANNA?!?*

En op sy eie, aan die regterkant:
Conradie Neethling???

Almal op haar lysie ken vir Anna. Kén haar. Soos net 'n min-
naar kan. Anna se affairs was nooit 'n geheim nie. Dit is asof sy
die grootste genot daaruit put om dit self so wyd as moontlik te
verkondig. Om 'n Molotov te gooi in die binnekring van haar
lovers en buite gevaar van die brand en vernietiging te staan
en haar te verlustig aan die verterende vlamme wat in 'n om-
mesientjie lig in donkerte kan omskep. En die arme drommels
wat vir haar val, te reduseer tot niks meer as 'n hopie as nie.
    Met Malan het sy dit die eerste keer gesien. En daarna
met Sebastiaan. Op daardie stadium was sy en Dawid nog nie
sulke goeie vriende nie, maar gerugte het die ronde gedoen
dat hy daardie jaar feitlik al sy cinsaut in die drein moes aftap
en sedertdien doen sy assistentwynmakers omtrent alles. Die
man was stukkend.
    Die vraag is nou: Wie was daar nog? Maar eerstens: Waar
is Anna? Almal weet sy vrek oor Adam. Voel 'n fok vir an-
der mense, maar sal nooit iets slegs aan haar kind doen nie.
Christina se joernalisinstink vlam weer op – vaagweg, maar
tog. Waar ís Anna? Daar's nog 'n paar name op die lysie. Sy
tik-tik met haar pen daarop.
    Sy tel weer die telefoon op en huiwer. Hierdie ongemaklike

en onaangename gebellery gaan egter wees hoekom sy die wyn-
bedryf vanaand 'n redelik stewige hupstoot gaan gee.

Volgende nommer.

"Du Toit, goeiemiddag."

Christina ril. Sy het 'n absolute hekel aan so 'n "Du-twah".
Is dit nou Frankryk dié?

"E, Wynand, goeiemiddag. Christina Ackerman. Gaan dit
goed?"

"Hartlik, hartlik, Christina. Lanklaas van jou gehoor." Dit
klink amper beskuldigend.

"Jy weet hoe gaan dit met ons joernaliste. Altyd aan die be-
weeg."

"H'm," brom hy.

"Jammer ek pla, maar ek wonder of jy dalk weet hoe ek met
Anna Neethling in verbinding kan tree? Ek moet 'n profiel oor
haar doen en sy is gewoon onbereikbaar."

"Ja, ek weet daarvan. Adam het my daarvan verwittig. Ek
kan haar ook nie opspoor nie. Ek vermoed sy het 'n kreatiewe
bevlieging gekry en sit iewers rustig met haar skootrekenaar
en 'n glas wyn."

"Maar sy sal seker vir Adam laat weet het waar sy is?"

"H'm," brom Wynand weer.

Christina is lus en ruk die foon se koord uit die muur en
gooi dit so ver as wat sy kan. Watse gebrom is dit? Die man gee
haar die rillings.

"Kyk, ek gaan eerlik met jou wees, Wynand. Sy het ons ge-
nader om 'n storie. Sy gaan haar dagboeke publiseer. So, dis nie
'n geval van ons wat net weer 'n sensasiestuk wil plaas nie. Dis
dié dat ek wonder waarom sy juis nou die pad gevat het."

Dit is so stil aan die ander kant dat Christina fronsend na
haar foon kyk.

"Hallo? Wynand?"

"Ja, ek is hier. Jy sê sy gaan haar dagboeke publiseer?"

"Ja, ek ..."

"Interessant. Nee, jammer. Ek weet nie waar sy is nie. Sien ek jou vanaand?"

"Vanaand?" Dan onthou sy gelukkig van sy boekbekendstelling. "Ag, natuurlik. Ek sal dit mos nou nie misloop nie."

Daar gaan haar rustige aand tuis met 'n bottel wyn.

"Gaaf."

Die oproep word beëindig voordat Christina 'n laaste woord kan inkry.

"Ongeskik," mompel sy. Sy trek haar notaboek nader en voeg sonder om veel daaroor te besin *Wynand du Toit* by haar lysie.

XI

Conradie Neethling sit met die gehoorbuis in sy hand. Trek sy
hand deur sy bos grys hare. Vat sy wit boordjie met een hand
vas en trek daaraan sodat dit nie so styf moet sit nie. Wikkel sy
grys das totdat dit presies reg is. Nie asof dit 'n aks geskuif het
sedert hy die ritueel 'n kwartier gelede al uitgevoer het nie. Vryf
oor sy ruie wenkbroue. Anna. Die swart kol in sy lewe. Stadig
sit hy die telefoon terug op die mikkie. Wat het sy nou weer
aangevang? Hoekom verloor ouers ordentlike kinders veels te
vroeg, maar Satan se gebroedsel kom om te bly?

Sy moeder was reg, die dag toe sy Anna se ma die eerste
keer gesien het. Toe hy vir sy moeder die vrou gaan wys het
met wie hy wou trou. Haar donker oë het vernou en sy het haar
lippe opmekaar gepers. Sy het dieselfde kyk gehad as wanneer
sy hom gehelp het om van demone en donkerte ontslae te raak.
Sy moeder was reg. Sy het daardie dag vir hom gesê Anna se
ma is swart, donker, deurtrek van die boosheid. Natuurlik sou
sy vir hom 'n bose kind baar. 'n Kind wat geen bestaansreg het
nie en verkieslik – ter wille van die groter morele instandhou-
ding van die samelewing – verwyder of ten minste in toom
gehou moet word.

Daar is 'n klop aan die deur.

"Binne."

Dit gaan oop en sy sekretaresse skuifel binne.

"Doktor? Hier't 'n koevert aangekom."

Hy neem dit by haar.

"Wat is dit?"

95

"Ek weet nie. 'n Jong man het dit nou net afgegee."

"Dankie. Ek sal later daarna kyk."

Die sekretaresse knik en skuifel weer by die kantoor uit. Trek die deur versigtig agter haar toe. Conradie sien sy naam in drukskrif op die voorkant van die koevert. Hy draai dit om. Geen naam of adres agterop nie. Sy oog vang die muurhorlosie.

"Ag, genade." Hy trek sy laai oop en sit die koevert daarin. Daar is nie nou tyd om dit oop te maak nie. Staan op en vat die Bybel wat netjies op die punt van sy lessenaar lê. Hy wil net by die deur uitgaan, maar dan verander hy van plan. In 'n kerkkantoor is niks heilig nie. Hy haal die koevert uit sy laai, vou dit in die helfte en druk dit in sy baadjiesak.

XII

Malan staar soos gewoonlik na die liggies bokant die hysbak se deur. Sou hierdie verdomde staalbak nog stadiger kon beweeg?

"Luister jy wat ek sê, Malan? Dun ys. Jy is op dun ys. My lojaliteit teenoor jou is al lankal by die deur uit. En na gister se drama is ek nog minder lus om jou aan die stuur van Blakemore & Blakemore te hou."

Malan draai na sy skoonpa en kyk hom op en af. Bekyk hom regtig goed, vir die eerste keer in jare. Jy dink jy ken elke sentimeter van jou teisteraar se gesig, maar selfs na drie dekades is daar nuwe dinge om te ontdek. Die raafswart oë is in werklikheid nog harder as wat hy dit onthou het. Die halfmaan waarin sy mondhoeke na onder rem, nog swaarder. Die keep tussen sy oë lê nog dieper. Sy haat jeens die man is nog meer intens. Hy draai terug na die voetslepende diskolig bokant sy kop.

"As my posisie jou so grief, werk my dan uit. Jy is mos die voorsitter van die direksie."

Genadiglik gaan die deur oop en kan hy tussen die mense inbeweeg. Hy weet nie in watter rigting sy skoonpa op pad is nie, maar solank dit ver van hom af is, is hy tevrede.

Wynand se boekbekendstelling is al goed aan die gang. Hy voel lighoofdig. Fokkit. Wat het hy nou gedoen? As sy skoonpa hom regtig onder sy gat skop, stap hy kaal hier uit. Elaine sal hom skei, en wanneer die prokureur wat haar pa sal aanstel met hom klaar is, sal hy gelukkig wees as hy sy onderbroek oorhou.

'n Kelner met 'n skinkbord belaai met vonkelwynglase stap verby en Malan neem twee, wat hy so vinnig moontlik na

97

mekaar wegsluk terwyl hy eintlik lus het om dit soos tequila-shots in sy keel af te gooi. As daar nou al 'n dag was wat hy van sy kop af gesuip moet raak, is dit dié ene. Elaine en Elizabeth stap by hom verby. Eersgenoemde maak of sy hom nie sien nie. Laasgenoemde gee een van haar engelglimlagte, maar loop tog agter haar ma aan en val haar oupa om die hals. Beter so. Nou kan hy drink en dronk word sonder om vir 'n sewentienjarige te probeer voorgee dat hy nie is nie. En sy kan sy donnerse skoonpa geselskap hou. Hy gee vir 'n ander kelner sy leë glase en neem twee volles in ruil.

Hy sien Wynand in die verte voor die glasdeure wat op die dakterras uitloop. Die lig val so dat hy amper soos 'n strale-krans-heilige lyk wat vooroorgebuig om met sy minderes te gesels. In 'n baie swak Middeleeuse skildery wat jy dalk in die kleinste, kakste museum in Praag sou sien.

Wynand gewaar hom en wink hom nader.

"Fok tog." Malan maak die twee nuwe glase leeg. Sluk. Sluk. As hy hierna nog twee deurwerk, het hy 'n bottel eie-handig geklap in minder as vyf minute. Sit dít in jou glas en drink dit, Sebastiaan Barnard! Dink mos hy is die enigste siel wat al gehoor het van vonkelwyn.

Malan skep asem en beweeg in Wynand se rigting, maar dis darem nog 'n goeie ent soontoe. Wonder wat sal gebeur as hy hom vanaand van daardie balkon afstamp. En dan sommer agterna spring. Hy sal die wêreld red van Wynand se gekrabbel wat vir een of ander obskure rede na veertig jaar nog steeds goed genoeg geag word dat 'n plantasie bome afkak. En hy wat Malan is? Sal hy beskou word as 'n moordenaar, of 'n vriend wat probeer keer het en toe self geval het? Of, meer dramaties en hopelik die Sondagkoerant se voorblad waardig: Het hy uit smart gespring? Hy wil snorklag. Hoe pateties. Jy is by die soort paartie wat jy vroeër jare en vir so baie jare bloots gery het. Dit

was tóé. Nou? Nou het jy selfmoordgedagtes. Nee, selfmoord-
fantasieë.

"Malan!"

"Liefste!"

Wangsoen, wangsoen. Wie is dit? Wie gee om.

"Hei, Malan! Ek sien julle hang weer uit vanaand. Sou nie
sê gedrukte media voel die knyp nie."

"Hoe ken jy my, Meneer? Jy moenie jou ore uitleen nie.
Die bean counters sit en draadtrek terwyl ons aan die woeker
is."

Hartlike klop op die skouer. Wie de fok is dit? Wie de fok
gee om.

O, wag. Dis een van sy skoonpa se grysskoen-boontjietel-
lers.

Bliksem.

Die eerste kelner duik weer voor hom op en Malan steek
vas.

"Staan nou net hier," beveel hy en ruil nog 'n keer sy leë
glase vir twee volles.

Sy oë bly op Wynand en die kring om hom, terwyl hy die
eerste glas stadig maar seker leegmaak. Die vonkelwyn klap
hom nou behoorlik. Daar is 'n mallemeule in sy kop aan die
draai en verbeel hy hom, of hoor hy ook trekkerige, sinistere
musiek? Hy knipper sy oë. Hy moet voortploeg. Rem aan sy
boordjie. En nie verder drink as hierdie halwe sesde glas eers
leeg is nie. Netnou vertel hy vir almal presies waar die geliefde
teef haar bevind.

"Malan?"

Retha staan langs hom. Sy hou 'n groot koevert na hom toe
uit.

"En nou? Bring jy geskenke? Of is hierdie werk? Nee, man,
liewe Retha!" Die geveinsde jovialiteit is uitmergelend.

"E, nee. Jammer. Jy weet ek sal jou nie gewoonlik nou pla

99

met sulke goed nie, maar hierdie het net mooi aangekom toe ek nou-nou toesluit, en daar was 'n nota by wat sê dis dringend dat jy dit dadelik kry. Klink my dit het onder by ontvangs gelê, weet nie van wanneer af nie, en toe het hulle vergeet om dit op te stuur."

"Dankie, dankie. Toe, genoeg gewerk. Gaan geniet die aand. Hier is meer vonkelwyn as wat ek alleen kan opdrink."

Retha knik en lyk heel in haar noppies voordat sy tussen die gaste wegsmelt.

Malan kyk na die koevert in sy hande. Hy voel-voel daaraan. Dit voel soos 'n paar velle papier wat vasgekram is, maar daar is iets sags by. Mense stamp aan hom soos hulle verby hom probeer skuur om by Wynand of die wyn uit te kom. Hy ignoreer hulle. Hy skeur 'n stuk van die koevert af.

Eers staar hy net na die stukkie wit katoen wat onthul word, maar trek dit dan stadig uit. Dit was 'n gewone wit sakdoek. Nie meer nie. Hy weet nie hoekom nie, maar hy is glad nie verbaas toe hy in die een hoek, dwarsdeur een van die roesbruin vlekke, sy geborduurde voorletters uitmaak nie. Elaine was nog altyd so bedagsaam; sy sou seker maak daar is altyd 'n kans dat dit gevind sal word indien hy dit iewers verloor.

Dan skeur Malan die koevert verder oop. Dit is inderdaad 'n stel fotostate wat vasgekram is. Hy draai dit om. In 'n lopende handskrif staan daar:

Die dagboek van Anna Neethling.

DONDERDAG

Dit was nie so hard nie, maar in sy toestand voel dit asof 'n betonblok hom teen die kop getref het. Met sy oë steeds toe, vee-klap Malan oor sy kop en stoot die koerant weg wat op sy kop geland het.

"Wat de fok ..."

Hy probeer sy oë oopmaak, maar dit voel vasgegom. Sy tong is 'n bol watte.

Weer tref die koerant hom.

"Wat de fok!"

Hy kry sy oë oop en kyk vas in Elaine se woedende gesig. Sonder haar grimering is sy wasbleek en haar hare staan in 'n wilde bos om haar kop. Haar kamerjas se gordel het losgekom en haar hangende borste beweeg ritmies saam met haar hortende asemhaling. Sy kry weer die koerant beet en Malan koes, maar hierdie keer hou sy dit voor hom op.

"Wat het jy gedoen?" Haar stem neig na histerie, maar sy slaag daarin om dit in bedwang te hou.

Malan probeer fokus. Hy weet nie mooi waar en op wie nie. Netnou moer Elaine hom weer met die koerant. Hy hou maar haar hare dop.

"Kyk hier! Lees!"

Versigtig vat hy die koerant by haar. Swart letters skree in die onderste helfte van die voorblad:

Bekende skrywer vermis

Hy wens nou dit wás 'n betonblok.

"Van wie praat hulle?" vra hy en probeer haar oë vermy. Dit is 'n baie goeie ding die babelas staan tussen hom en 'n flinke brein, anders sou hy hom veel moeiliker dom kon hou.

"Jou tert, Anna Neethling!" Elaine gryp die die koerant uit sy hand en gooi dit op die bed langs hom neer. "Het jy haar gaan wegsteek in julle snoesnes?"

"My fok, wag net," sê Malan en sukkel regop. Hy trek die koerant weer nader. Sy hande bewe. Sy hart klop teen 'n verbysterende spoed. Hy probeer sy paniekgevoel wegsteek deur die koerant met groot gebaar oop te slaan en reg te skud.

Bekende skrywer vermis

Polisie vermoed onraad na anonieme wenk
– Misdaadredaksie

Die bekende en bekroonde skrywer Anna Neethling (39) is gistermiddag as vermis aangemeld. Sy is verlede Maandagoggend die laaste keer by haar uitgewers se kantore in Kaapstad gesien.

Haar seun, Adam (14), het onraad begin vermoed toe sy nie Dinsdagaand huis toe gekom het nie en het 'n familievriend, die skrywer Wynand du Toit, daarvan in kennis gestel. Hulle het haar gistermiddag omstreeks drieuur by die Seepunt-polisiekantoor as vermis gaan aanmeld.

Onbevestigde berigte dui op die moontlikheid dat selfdood nie uitgesluit kan word nie en dat gemene spel nie buite rekening gelaat word nie. Polisiewoordvoerder Peter Arendse wou nie kommentaar oor die gerug lewer dat die polisie 'n anonieme wenk gekry het wat 'n spoedige ondersoek van stapel gestuur het nie.

Enigiemand met inligting word gevra om AO Stefaans Slabbert te kontak by 021 430 3600.

Malan laat sak die koerant. Hoe kon die koerante die storie so gou gekry het? Is dit die anonieme wenk? Nie dat dit saakmaak nie, want hier begin dit nou. Ongeag.

"En terloops, jou seun is op die punt om geskors te word en oor die afgrond te duiwel. Maar jy sal dit nie weet nie, want jy gooi die telefoon in die hoof se oor neer en kattemaai saam met jou slet. As Ben in 'n psigiatriese hospitaal beland, is dit jóú skuld."

Malan het Elaine se mond sien beweeg, maar dit neem 'n rukkie om te registreer wat sy gesê het. Hy kan haar ook nie meer behoorlik sien nie, want al beeld wat sy kop nou beset, is dié van die bebloede lyk wat hy met mening in 'n swart vullisdrom gedruk het.

ll

Wynand du Toit trek die band van sy rooi syjapon stywer om sy lyf. Hy kyk hoe die koffiemasjien sy koppie vol tap. Hy maak sy oë toe en haal diep asem. Daar kom darem maar niks by die geur van egte Guatemalaanse koffie nie. Diegene wat so liries raak oor hulle sakkie bone uit Uganda, sal nie geblinddoek die verskil kan proe tussen Ricoffy en behoorlike koffie nie.

Met sy koppie in sy hand stap hy na buite en gaan sit by die tafel op sy stoep. Vir 'n oomblik staar hy net na die Houtbaaise strand nie ver van hom nie. Hy het 'n ver pad gekom. Baie ver van die waansin aan Johannesburg se verkeerde kant. Hy wonder dikwels wat van hom sou geword het as hy nie letterlik die dag na sy laaste matriekvraestel geld bymekaargeskraap, geleen en gesteel het nie. Daardie eerste pondok wat hy gekoop het, reggemaak met sy musiek-en-letterkunde-hande en weer verkoop het. Uit die woonstel getrek sonder om vir sy ma te sê. In 'n gehug gaan bly. Die volgende woonstel gekoop. Hierdie keer in Westdene. Daarna 'n huis in Melville. Linden. Emmerentia. Quellerina. Houghton. 'n Blok in Sandton wat vandag 'n prokureursryk is. Tussendeur gelees. Musiek geluister. Geskryf. Uiteindelik 'n groep gekry waar hy gevoel het hy hoort, hy 'n bydrae kon lewer, hy iets kon wees. Die kleine skrywerskringe van Melville en Kerkplein in Pretoria.

Maar die eintlike skrywerswêreld is in die Kaap.

Hy het alles opgepak en verkoop. Sy eerste manuskrip ingestuur die dag toe hy geteken het vir hierdie vyfakkerhemel in Houtbaai. Hy het besef dat aardse kortverhale gestut moes word deur 'n aardse agtergrond, inbors, persona. Dit was die maklike deel. 'n Overbergse bry en vae verwysings na sorgelose kinderdae op Swellendam, en die idee is vasgelê dat hy 'n knaap uit die baarmoeder van die Breederiviervallei is. Nee, genoeg van my, kom ons praat oor jóú, is 'n truuk wat al vier dekades met joernaliste werk.

Hoe vreedsaam eenvoudig kan die lewe nie wees nie. Drink koffie. Skryf. Gaan stap langs die see. Drink wyn. Lees. Elke dag. Voordat sy knieë hom in die steek gelaat het, het hy die grootste gedeelte van sy dag op die water by Drieankerbaai deurgebring. Nooit werklik daarvan gehou om by Houtbaai te roei nie. Nee, Drieankerbaai. Voor jou strek die see die ewigheid in. Agter jou het jy 'n voyeuristiese blik op 'n polsende wêreldstad. Die yin en yang wat hom gekalibreer het. Nou is hy 'n blote toeskouer, van ver.

Die koerant lê op die punt van die tafel. Hy weet presies wat hy gaan sien as hy dit oopvou. Daar sal iets oor Anna wees. Hy en Adam was skaars weg by die polisiestasie toe sy foon begin lui het. Nie veel wat hy kon sê anders as om te bevestig dat hulle haar as vermis gaan aanmeld het nie. Die arme kind was in trane toe hy hom by sy vriendjie gaan aflaai het. Hy moes seker die kind hierheen gebring het, maar wie is nou lus vir 'n tranerige veertienjarige? En daardie oë van hom is pure Anna. Dit is gewoon verwarrend en ontstellend om haar in die seun se oë te herken. Want in Adam se blik manifesteer daar 'n weerloosheid, 'n broosheid wat hy dalk by Anna miskyk. Of dalk het die kind juis dit gekry wat by haar ontbreek. Verwarrend en ontstellend.

Hy trek die koerant nader. Vou dit langsaam oop. Drink eers die laaste droesem koffie en kyk dan na die voorblad. Die hoofopskrif skreeu dit kliphard: Anna is weg. Hy maak weer sy oë toe. Maar hy weet: Of sy oë nou oop of toe is, Anna kruip deur elke holte en oopte en ruimte in jou kop en lyf en hele verteerde wese. Vyftien jaar gelede het sy ook weggeraak. Of weggeglip. Of weggekruip. Dit was kort na daardie aand. Daardie aand van totale waansin. Hy 'n Henry van Eeden wat lustig meegedoen het aan 'n Silbersteins-oomblik. Dit was 'n onverwagse en beslis onverdiende geskenk toe sy 'n paar dae later verdwyn. Net om weer drie maande later op te duik. Te maak of niks gebeur het nie. Een aand dronkerig hier aangekom en hom weer ingesluk het. Die enigste manier wat hy uit haar greep kan kom, is as sy finaal weggaan. Permanent.

Wynand staan op en stap sy huis binne. Hy het deur die jare, met al die kom en gaan van vroue – wettig en andersins – nooit toegelaat dat enige van hulle selfs 'n teekoppie of gordynreling vervang nie. Sy huis is en moet altyd die konstante wees. Vir 'n oomblik gaan staan hy stil en kyk om hom. Die kontras tussen buite en binne is letterlik dié tussen dag en nag. Buite skyn die son helder, soms fel. Binne kry jy 'n ouwêreldse gevoel danksy die getekstureerde muurpapier, diep leunstoele, bal-en-poot-eetkamermeubels en swaar, rooi fluweelgordyne. Dit skep 'n donker baarmoederruimte. Teen sy mure is 'n Boonzaaier, daar 'n Stern; in die gang 'n minuskule Dumas en in sy slaapkamer 'n erotiese Visser.

Hy het jare gelede, toe sy nog nie 'n naam was nie, 'n onthutsende Judith Mason besit. Na 'n week kon hy nie meer daarna kyk nie. Dit het hom te veel herinner aan die drogbeelde van aande in hulle woonstel in Hillbrow. Sy ma op die bank met nog 'n oom – die derde daardie aand. Hy wat in sy kamer onder die bed lê en lees met 'n kussing oor sy kop totdat dit te donker word, die woorde saamvloei en die bladsye swart word. En dan Psalms en Gesange vir homself neurie totdat dit stil word in die sitkamer. Wens en hoop en bid die slet word net daar deur 'n bliksemstraal getref. Of, nee. Deur 'n vlammehel verswelg, want stap jy by daardie sitkamer in, is dit die Mason-beelde wat voor jou lewendig word. Totdat jy dit nie kan hou nie.

In sy studeerkamer lê die koevert op sy lessenaar. Hy tel dit op en stap terug buitentoe. Die bruin papier is grof in sy hande. Hy gaan sit, skuif die koerant weg en sit die koevert neer. Metodies skeur hy dit versigtig oop. Hy steek sy hand in en trek 'n stel vasgekramde papiere uit. Hy blaai vlugtig daardeur. Dis 'n A5-boekie wat op A4-bladsye afgerol is. Twee A5-blaaie op 'n bladsy. Hy weet self nie hoekom nie, maar vir 'n oomblik vou hy dit in sy hande toe. Amper soos daardie vinjette op Bybels van die twee hande wat om 'n boek – Die Boek – vou. Hy vou dit weer oop en lees die woorde op die die eerste bladsy. En beweeg stadig uit sy lyf.

Die man wat op sy tuinstoel sit met die Houtbaaise hawe voor hom kyk heel kalm na die boek in sy hand. Hy het gisteraand gesien hoe Malan by die boekbekendstelling die koevert by sy sekretaresse neem, die papier oopskeur en 'n wit lap – seker 'n sakdoek – uithaal en eers fronsend en dan met wydgesperde oë na die res van die inhoud kyk. Selfs oor die lengte van die vertrek het hy geweet Malan het dieselfde koevert as hy gekry. En nou besef hy hoe eg – teenstrydig met sy aard – Malan se reaksie en paniek was.

Wynand weet hy gaan die inhoud lees. Hy gaan dit nóú lees. Hy wil nie. Hy kan nie. Maar hy moet weet wat in Anna se dagboek staan.

III

Dokter Lloyd Wilsnach-Meyer kyk vir oulaas in sy truspieëltjie na die lagune en draai regs op die R27. Terug Kaapstad toe. Maak nie saak hoeveel jare hy nie meer die Weskus werklik sy tuiste kan noem nie, ruk dit steeds aan sy hart elke keer dat hy moet wegry. Hy staan nou wydsbeen tussen twee wêrelde. Nóg honderd persent hier, nóg honderd persent daar. Maar as hy gedwing word om tussen die twee te kies, sal dit die Weskus wees. Sonder twyfel.

Dit is gewoon lastig dat hy nou moet terug stad toe, maar hy kan nie sy praktyk die hele week net so los nie. Pasiënte raak al hoe meer wispelturig – verby is die dae toe jy een dokter vir die res van jou lewe gehad het. Soos alles deesdae, gaan dit om onmiddellike bevrediging. Jy is nie beskikbaar nie? Daar is altyd ander dokters. Baie van hulle. Algemene praktisyns ten minste. Die res gaan soek mos hulle heil in Australië of Kanada. As dit nie vir die Weskus was nie, was hy seker ook nou al daar.

Net 'n paar kilometer verder op die R27 begin sy selfoon te piep. Lloyd sug. Dit is altyd 'n teken dat hy nader aan die stad en al hoe verder van sy geliefde Weskus af beweeg. Hy gebruik nooit sy selfoon by Churchhaven nie – daar is in elk geval swak ontvangs – daarom los hy dit in sy motor. Hy grawe in die kompartement langs die stuurwiel en haal die foon uit. 'n Hele drie dae lê dit ongebruik en daar is nog vier-en-vyftig persent batterylewe oor. Hy gooi die foon op die passasiersitplek. Hy sal later kyk wat aangaan.

By die padstal oorkant Jakkalsfontein hou hy stil. Hy kyk op sy horlosie. Hy is net betyds, die brood behoort nou pas uit die oond gekom het. Hy druk die selfoon in sy hempsak saam met 'n paar geldnote. Sy voete knars op die gruis toe hy uit die groen Land Rover klim. Daar is 'n koue bries en hy knoop die blou v-nektrui om sy skouers los en trek dit aan. Hy stap in en groet die paar bekende gesigte. Hy was reg, die reuk van varsgebakte brood hang swaar in die lug. Outomaties begin hulle drie brode vir hom toedraai. Hy vat 'n koerant en gaan sit op die stoep. Mina kom skaars meer as 'n minuut later uit met stomende koffie in 'n blikketel.

"Darem erg van daardie skrywer wat weg is," maak sy geselsies terwyl sy dit op die tafel neersit en die koerant uit die pad skuif. "Dis groot nuus. Was op die radio ook. Meneer ken seker die mense. Synde meneer mos daar in die stad met daardie mense kuier en hulle hier kom kuier."

"Watter skrywer?" vra hy ingedagte terwyl hy die koffie uit die kan in sy beker gooi.

"Kan nou nie mooi haar naam onthou nie. Meneer nie gesien nie?"

"Nee, ek was mos in Churchhaven. Ek het skaars water en krag daar, so ek sien en hoor goddank nie die nuus nie."

"Anyway, dit is daar op die voorblad." Mina draai haar kop skuins en gee 'n paar treë agteruit. "Dokter raak al hoe maerder. Wat van 'n paai? Ons het lekker hoenderpaais wat ook nou net uitgekom het."

"Nee, dankie. Ek het 'n stewige ontbyt in," jok hy.

Lloyd wag totdat Mina weg is, neem 'n sluk koffie en leun behaaglik agteroor. Hy trek sy vingers deur sy rooi hare voor hy sy vingers ineenvleg en sy kop daarteen stut. Haal diep asem. Dis 'n ritueel om hier stil te hou – met die kom en die gaan. Die eerste en laaste ware kontak met die Weskus. Die koue, soute seebries, die heerlike, amper aardse smaak van die koffie, die reuk van daardie brood. En die anonimiteit, selfs al ken hy elkeen wat hier werk op die naam en die gunstelinglekkergoed van hulle kinders. En as dit nodig is, gaan maak hy 'n draai by oom Abel met die slegte bors, of Germain wat alewig sy knieë oopval, of Mina se kêrel wat beweer hy het epilepsie, maar heimlik kry hy die horries van dit wat hy en sy swaer in die leë skuur agter die padstal stook.

Maar hulle pla nie mekaar nie.

Hy tel sy selfoon op en gaan deur sy boodskappe. Hy kry nooit veel boodskappe nie, maar gelukkig het geen van sy pasiënte hom gesoek nie. Daar is een oproep wat hy gemis het. Dawid. Hy luister na die stemboodskap:

"Lloyd! Dawid hier. Luister, Dok, jy sit seker nou weer in Churchhaven of is besig om 'n kind se stukkende knie toe te werk, maar ons moet gesels. Laat weet my wanneer. Dis ... e ... dis dringend."

Fronsend kyk Lloyd na die selfoon in sy hand. Dawid. Vandat hy kan onthou, is hulle met 'n naelstring aan mekaar vas. Sy pa wat sy geil Bonnievale-druiwe aan Groot Dawid op Stellenbosch gelewer het. Dawid wat saamgekom het wanneer sy pa na die wingerdblokke kom kyk het. Hy en Dawid het gespeel terwyl die mans besigheid gepraat het, hoewel Dawid se idee van speel was om hom te gebruik om sy duikslae te oefen. Sy pa wat daarna 'n stapel dokumente op die eetkamertafel teken en daardie aand bleek en stil sy kos eet, selfs al maak Lloyd se ma skilpadjies. En dan wen Groot Dawid weer 'n trofee en stap met vyf sterre weg en beweer dat sy pryswennende wyne gemaak word van druiwe van die wingerde wat hy met 'n sagte hand vertroetel en sodoende premiumkwaliteit druiwe kry. Maklik om te beweer die Bonnievale-druiwe waaroor hy hom so skaam, kom van die hektare wingerd op die Stellenbosch-plaas wat jare gelede vir iets meer as brandewyndruiwe of rosyne bestem was. Dit verg bloot 'n kreatiewe omgang met dokumentasie en 'n afsetgebied wat graag eerder in harde kontant betaal.

Lloyd sug en kyk na die selfoon in sy hand. Hy huiwer. As iets vir Dawid dringend is, beteken dit gewoonlik iets wat hy moet skoonmaak of laat weggaan. Lloyd vee fronsend met sy een hand oor sy voorkop. Heen en weer. Heen en weer. Knyp sy oë toe en vat onwillekeurig aan sy neus.

Dit het al op universiteit begin. Hulle het saam in die koshuis beland – seker so bestem, want sy pa en Groot Dawid was ook saam daar. Dit was gelukkig slegs die een jaar, want toe skuif hy na die mediese kampus.

Hy het dit nie verwag nie. Dit het net een aand gebeur. Wel, net die een aand wat hy van weet. Daardie aand toe drie meisies van Disa-koshuis ingegelip het en Tassenberg saam met Dawid en drie van sy vriende in sy kamer gedrink het. En Lloyd. Altyd Lloyd. Die stertjie wat danksy Dawid 'n mate van 'n sosiale lewe gehad het. Twee is later met 'n krappepas terug koshuis toe. Dawid het die stil enetjie oortuig om te bly, haar glas bly volmaak. Langs haar op die bed gaan sit. Sy het skielik teen sy skouer met toe oë geleun. En toe stadig agteroor op die bed geval. Dawid en sy vriende het begin giggel. Hy kan nie onthou wie hulle was nie. Hy kan nie eens hulle gesigte onthou nie.

"Gaan ons dit regtig doen, Dave?" het een gevra.

Dawid het nie geantwoord nie. Hy het orent gekom en haar aan haar skouer gevat en geskud. Sy was so uit soos 'n kers as die suidoostewind verby is. Dawid het proesend die meisie se rokkie opgelig, haar pienk kantbroekie probeer afruk. Haar bene het soos 'n lappop s'n op en af gebons terwyl Dawid met die broekie gestoei het. Uiteindelik het dit geskeur. Lloyd wou sy ore toedruk, want die geluid het oorverdowend in sy ore bly lui. Dawid het sy jean losgemaak en dit tot op sy enkels afgeskud. Sy hande het gebewe en hy het hard deur sy neus asemgehaal. Die ander drie was doodstil toe Dawid oor die meisie buk, sy een hand op 'n skewe, donker poniestert gestut en die ander hand besig om lomp homself in die regte rigting te stuur. Dit was vinnig verby. Dawid het teruggestaan en die volgende ou se broek was toe reeds af. Lloyd weet nie wat daarna gebeur het nie. Hy het sy oë toegeknyp en saggies begin neurie.

Lloyd skud sy kop totdat dit vir hom voel hy word duiselig. Vanself gaan sy hande na sy broeksakke. Leeg. Hy het die laaste houertjie op Churchhaven in die vullissak gegooi voordat hy gery het.

Hy skrik toe sy foon skielik begin lui.

Dawid.

Lloyd wil dit net los, maar kan nie. Dit het op universiteit begin.

"Dawid," antwoord hy.

"Jis, jis, jis, Dok. Hoe lyk dinge?" Voordat Lloyd kan reageer, gaan hy voort: "Luister, waar is jy?"

"Weskus."

"Wanneer kom jy terug?"

"Ek is nou op pad. Hoekom?"

"Ons moet praat. Hier's kak aan die kom."

"Watse kak?" Lloyd speel met die naat van die linkerkantse broeksak. Sy leë broeksak.

"Kan nie nou verduidelik nie. Anna is weg en lyk my almal kry ..."

"Kry wat? En wat van Anna?"

"Sy's weg."

"Wat bedoel jy met 'weg'?"

"Sy's fokken weg, Lloyd. Jy nie die koerante gesien nie?"

Lloyd sit stadig die selfoon op die tafel neer. Vaagweg hoor hy 'n vraende "Hallo?". Hy slaan die koerant oop. Die hoofberig op die voorblad is maar dieselfde as toe hy by Churchhaven weg is: die een of ander regeringsinstansie jaag aan. Nou sien hy eers die onderste berig se opskrif.

Bekende skrywer vermis

Soos wat hy die berig lees, word sy hele lyf lam en dan keer hy in stadige aksie die beker koffie op sy been om. Die brandpyn registreer nie.

"Ek moet ry," sê Lloyd vir homself, sy stem skor. Hy grawe note uit sy hempsak en plak dit op die tafel neer. "Ek moet ry," sê hy weer, hierdie keer harder en dringender. Hy gryp sy selfoon, spring op en hardloop.

"Wat van meneer se brood?" roep Mina agterna, maar hy hoor dit skaars voordat hy sy Land Rover oopsluit, inklim en in 'n gruiswolk wegry.

IV

"Sorry ek's laat."

Stefaans Slabbert skuif oorkant Sebastiaan in. Selfs in die swak lig van Parow se beste pizzaplek is die donker kringe onder sy oë duidelik sigbaar. Dis seker maar hoe jy lyk as jy 'n polisieman is wat elke dag die stad van algehele ondergang moet red. Selfs Stefaans se altyd indrukwekkende kuif lyk verlep en sy gewoonlik oorweldigende naskeermiddel skyn te verdamp het.

"Geen probleem. Ek is besig om skaamteloos die interessantste fight af te luister." Sebastiaan beduie met sy kop in die rigting van die paartjie skuins oorkant hulle. Die man en vrou se koppe hang laag oor die tafel. Hy is besig om die verbleikte rooi-en-wit blokkiestafeldoek met sy hande plat te stryk terwyl hy praat. Haar mond is op 'n tuit terwyl sy hom kil aankyk.

"Ek vang helaas net elke derde sin, maar dalk is dit die rede hoekom dit so boeiend is."

"Jy's vreemd, weet jy?" sê-vra Stefaans en wink vir die kelner wat reeds aangestap kom met sy gewone drie tripel-brandewyn-en-Coke. Richelieu, nie Klippies nie. Klippies is vir studente met brose lewers.

"Wat lyk jy so asof—"

"Wag net gou." Stefaans hou sy hand omhoog. Sy polsketting gly af oor sy pols en met 'n geoefende beweging skud hy sy arm sodat dit weer sit waar hy dit wil hê.

"Wat nou?" vra Sebastiaan.

"Ek moet eers moet jou praat oor Anna. Anna Neethling."

Sebastiaan sug en vou sy arms op die tafel.

"Hoekom?"

"Sy is weg. Wynand du Toit het haar laat gistermiddag as vermis aangemeld. En iemand het die stasie en toe sommer die koerante ook gebel."

"Ek het die posters op die lamppale van 'n vermiste skrywer gesien. Nie geweet dit is sy nie."

"Moenie jou moer nou strip nie, maar ek moet vra: Weet jy waar sy is?"

Sebastiaan druk sy gesig in sy hande en kyk dan fronsend op.

"Watse kak vraag is dit?"

"Ek moet vra. Ek moet almal ondervra wat ... wel ... verbintenisse met haar het."

"So, is hierdie nou 'n ondervraging?"

Stefaans hou sy hande paaiend voor hom.

"Nee, maar ek moet vra. Jy weet dit. En eerder hier waar ek en jy rustig kan gesels as by die polisiestasie."

"Hel, Stefaans. Jy laat dit klink asof jy my 'n blerrie guns doen voordat jy my gat agter in jou vangwa gooi."

"Sê net vir my dít en dan los ek die hele storie: Weet jy waar sy is?"

"Nee. Ek weet nie. Ek wil ook nie weet nie. Jy van alle mense behoort dit te verstaan."

"Goed," sê Stefaans en neem 'n groot sluk van sy brandewyn-en-Coke sonder om oogkontak te maak.

Sebastiaan voel hoe hy onwillekeurig vlakker begin asemhaal. Sy hande raak klam. Hy sluk die laaste van sy gin-en-tonic en staan op. Uit sy broeksak grawe hy 'n paar note en sit dit op die tafel neer.

"Ons kuier 'n ander keer," sê hy en stap by die restaurant uit.

V

Sebastiaan sluit sy Mercedez-Benz oop, klim in sy kar en sluit sy deur. Die slotpennetjie aan sy bestuurderskant haak vas, maar dis 'n nagmerrie om enige onderdeel vir sy 1971-model te kry. Hy sit agteroor en maak sy oë toe. Probeer die hamerslae in sy borskas en die geklop in sy kop tot bedaring bring. Hy het seker oorreageer, maar hoekom opper Stefaans hoegenaamd die onderwerp as hy weet? Wéét.

Daardie nag. Daardie gruwelnag. Oor agt dae sal dit vyf jaar wees. Dit is immers hoe hy Stefaans die eerste keer ontmoet het. In 'n toestand van skok waar hy doofstom staan en kyk het na die bloedkol en die gebreekte glas, het 'n ferm hand hom aan sy skouer gevat en weggelei kombuis toe. Hom sitgemaak. 'n Beker soet tee voor hom neergesit. Hy het nie eens geweet hy het tee in die huis nie. Ook nie suiker nie. Die skok het bedaar en sy sintuie het weer lewe gekry. Hy het bewus geword van gefragmenteerde geluide 'n entjie weg. 'n Sagte stem het 'n kring om hulle getrek en gekeer dat die geluide nader kom.

Die volgende agt dae gaan hy alles moet insit om nie deur die herinneringe verswelg te word nie. Die verwyt. O Here, die knaende verwyt. Die "wat as"-retoriek wat deur sy skedel wil breek. Alles insit om nie van sy kop af te gaan nie, want hy gaan elke moontlike reserwe moet inspan om op daardie datum nie self deur 'n venster te val nie.

Mia. Mia is weg.

Dit is elke jaar so, maar vanjaar voel dit erger. Meer intens. Oorweldigend. Seker maar omdat dit een van daardie kerwe op die tydstok is wat uitstaan: een jaar, vyf jaar, tien jaar, honderd jaar.

"Stefaans se moer," sê hy en skakel die enjin aan.

VI

Stefaans kyk nog na die deur waar Sebastiaan uitgestorm het. Hy voel soos 'n robbies. Maar soos hy gesê het, hy moes vra. Hy het nie 'n keuse gehad nie. Hy móés vra. Nie net omdat dit sy werk is nie, maar ook oor daar 'n geskiedenis tussen Sebastiaan en Anna is.

Hy sug en top sy brandewyn op met die laaste bietjie Coke in die blikkie. Dit is nou een van daardie oomblikke wanneer sy pa net betekenisvol na hom sou kyk, want hy het gesê hy kan vir hom 'n job by Sanlam organise. Maar vandat hy kan onthou, wou hy 'n polisieman wees. Daar kom egter dae soos vandag wat dit nie lekker is nie. Nie eens amper nie. Maar daar is kere wat dit erger is. Die kere wat jy na 'n lyk moet gaan kyk wat besig is om te ontbind. Of moet help soek na 'n vermiste kind wat tien teen een in die oom se erf in 'n vlak graf lê. Of 'n gesin moet wakker klop met die nuus dat die ma of suster of pa of broer verongeluk het of verkrag of vermoor is. Die ongeloof, die skok en dan die totale ineenstorting. Vir sommiges kom dit eers die dag daarna of 'n maand of 'n jaar later, maar dit kom.

Dit is wat hom so bekommerd oor Sebastiaan maak. Daardie ineenstorting het nooit gekom nie. Die ongeloof, ja. Die skok, ja. Maar nooit die opkrul en verkrummel nie. Hy het al baie daaroor gedink, gewonder, hom bekommer. Wat weet hy eintlik van Sebastiaan? Min, amper niks. Al is hulle hand om die blaas. Hy het 'n broer in Kanada en hulle is close. Sy ma was by die begrafnis, maar sy het nie lank gebly nie. Stefaans weet sy pa was 'n ryk ou donder, want Sebastiaan kom uit 'n woonbuurt met hoë heinings en dra die das van een van daardie skole waar jy 'n goeie stamboom, goeie maniere en 'n goeie banksaldo moet wys voordat jy 'n boud op 'n bank mag sit.

So wie staan hom by? Christina?

Miskien is dit dié jaar dat die ineenstorting uiteindelik gaan kom. En, jammer vir Sebastiaan, die jaar wat dit eintlik maar moet kom. Hoe gouer, hoe beter.

Stefaans wink die kelner nader en bestel sy gunstelingpizza, ham-en-piesang met ekstra pynappel, en nog 'n brandewyn-en-Coke. Hy is nou hier en dit is sy dag af, so hoekom sal hy homself nie bederf nie? Terwyl hy wag vir sy pizza, stuur hy gou vir Pop 'n hartjie.

VII

Lloyd parkeer sy motor skuins in sy praktyk se parkeerterrein. Klim haastig uit, sluit nie eens die kar nie. Sien skaars die pasiënte se motors raak wat reeds geparkeer staan. Sy foon lui, maar hy ignoreer dit. Hy stap by sy spreekkamer in. 'n Paar gesigte kyk op van die tydskrifte wat hulle besig is om te lees en glimlag, maar hy sien hulle ook nie raak nie.

"Kanselleer alle afsprake en stuur die mense huis toe. En jy kan ook huis toe gaan," sê hy in die verbygaan aan sy ontvangsdame. Hy maak of hy nie haar onthutste uitdrukking oplet nie.

In sy spreekkamer maak hy die deur agter hom toe en gaan sit by sy lessenaar. Pluk die laai oop. Haal die wit botteltjie uit. Bekyk dit. Darvocet. Nee, verkeerde een. Grawe weer. Haal uit, kyk. Ritalin. Ja. Skuif papiere en lêers opsy en skud 'n paar pille op die lessenaarblad uit. Gebruik sommer sy krammasjien se rugkant om dit fyn te druk en vorm twee lyntjies. Nie nou tyd om 'n banknoot te rol nie. Druk sy regterneusgat toe, buig oor en snuif diep. Volg die poeierstreep. Sit terug. Wag vir die effek. Die mis begin lig. Die ligte word aangeskakel. Dan buig hy weer oor. Ander neusgat. Hy vee die bietjie poeier wat op die lessenaar oorbly weg en trek sy palm oor sy neus ingeval daar 'n sneeuspoor sit.

Lloyd gaan staan by die venster. Hy het 'n panoramiese blik op die stadskom. 'n Luukse om 'n woonhuis en spreekkamer op een perseel in 'n spogbuurt te hê, maar 'n absolute noodsaaklikheid. Hy moet so ver moontlik kan sien anders sak die mis op hom toe. Verdoof die lig met elke hamerslag van die horlosie. Die ongenaakbaarheid van tyd wat altyd teleurstel. Goeie momente word verjaag deur die volgende uur wat homself teen wil en dank aanmeld. En die slegte momente boelie die uur wat op hulle wag en neem hul tyd om weg te stap. Dit gaan nou 'n tyd wees waar die slegte momente van die afgelope veertien, vyftien jaar gaan kamp opslaan en nie sonder 'n epiese stryd weer vertrek nie. En hierdie keer gaan tyd karakters saambring: Dawid, Wynand, Sebastiaan.

Hy stap terug na sy lessenaar, maak 'n hopie van die papiere en lêers wat hy opsy geskuif het, gaan sit en haal sy selfoon uit. Hy en Anna het eintlik altyd geweet hierdie tyd gaan kom. Nou is dit hier. Hy weet presies wat om nou te doen. Alles is reg. Daarvoor het Anna gesorg. Dat sy nou die tyd gekies het om dit te doen, is vreemd, maar dit is nou gedoen.

VIII

Christina sit versteen en luister na die orkaan wat in haar rigting aangewaai kom.

"Fok tog." Sy neem haar selfoon en notaboek en staan op. Kan netsowel nou maar die storm binnestap.

"Hoe weet jy dis vir jou?" fluister haar buurman in hul oopplanwerkshok.

"Vuil spesmaas. Vuil. Smerig. Smerterig."

"Wat's 'smerterig'?"

" 'n Sinoniem vir 'millennial'."

"Christina! My kantoor. Nou."

"Sien?"

Gedwee stap sy agter haar redakteur aan. Vir die soveelste keer vandag wens sy sy kan dramaties bedank, haar handsak vat en uit hierdie slykpoel loop. Sy gaan die kantoor binne en maak die deur agter haar toe. Gaan sit by die ronde tafel langs die lessenaar.

Yolanda se rug is op haar gekeer en sy is besig om papiere rond te skuif. Christina bekyk haar. As jy haar in 'n verhaal moes beskryf, sou 'n proefleser 'n streep daardeur trek. Die vrou is visueel gesproke 'n cliché so reg uit 'n Hollywood-flop. Die aggressiewe rooikopleerklimmer wat op kele en spartelende lywe trap in haar opmars na die agtiende verdieping, met broeke en rompe wat net-net te styf of te kort is en hakke wat ongemaklik hoog lyk. Sy loop soos 'n pasgebore kameelperd. Maar dis ontwerpersklere en om die een of ander rede kom Armani weg met iets wat Pick n Pay Clothing nie sou nie.

Vandag dra sy 'n roomkleurige waaierrompie, 'n wit bloes wat oor 'n kantbra span en enkelstewels met veelkleurige blertse op. Christina buk effens vorentoe om beter te kan sien. Posseëls. Die stewels het posseëls op. Sy wens sy kan 'n foto neem en vir Sebastiaan stuur. Hier is die bewys dat klas nie iets is wat jy by die kafee of Armani koop nie.

"Sê vir my jou onderhoud met Anna Neethling is klaar en reeds by die subs. Met uittreksels uit die dagboeke en foto's van die snikkende kind."

"E ... nee. Ek het mos gesê ek het met haar gepraat en kon haar toe nie weer in die hande kry nie. Nou weet ons dis omdat sy verdwyn het, so—"

"So, jy is verantwoordelik vir hierdie fokop." Yolanda draai om en stap nader. Haar oë is op skrefies getrek en sy haal deur haar neus asem. Sy lyk soos 'n bedonnerde bul wat gereed-maak om iets of iemand te bestorm.

"Watter fokop? Ek kan mos nie help sy het verdwyn nie? Ek het met haar gepraat die oomblik toe jy my die opdrag gegee het en daarna kon ek haar nie weer in die hande kry nie."

"As jy gedoen het wat ek gevra het, het ons nou gesak met sekerlik die grootste scoop nóg." Yolanda leun vorentoe en laat rus haar vuiste op die tafel. "Ons plaas 'n eksklusiewe onderhoud. Met stukke van haar berugte dagboeke. Iets oor die nag van die negentiende. Foto's. En dan verdwyn sy. Al-mal gaan koop *My Mense* en breek ons webblad van al die frenetiese klikkery. Deur ons sien hulle haar vir oulaas. Want let's face it. As iemand soos Anna Neethling verdwyn, het sy óf in die see ingedonner óf haar Russiese mafiabaas-lover het gesnap."

"Hoe kan jy my daarvoor blameer?" Christina voel hoe haar moermeter gevaarlik in die rooi in styg.

"Jy het op jou hande gesit. Al weer."

"Ek het haar dadelik gebel! En aanhou bel toe ek haar nie

125

weer in die hande kon kry nie. Die hele wêreld gekontak – selfs haar mislike pa."

Yolanda hou haar hand omhoog. Haar armbande klingel.

"Ek het nie lus of krag vir jou patetiese verskonings nie. Selfs 'n semi-decent journo sou hierdie storie in die sak gehad het. Ten minste al die dagboeke uit haar gekry het. Wat het jý gekry? Fokkol." Sy draai weer haar rug op Christina. "Jy kan maar jou laptop en instapkaart by ontvangs los."

"Wat?" Christina staar haar aan. "Jy kan my mos nie fire oor só iets nie?"

Yolanda loer oor haar skouer.

"Ek het pas – soos jy weet, glo ek nie in waarskuwings en dissiplinêre verhore nie. Ek betaal jou vir die volgende drie maande. Ons beskou dit as 'n pakket wat jy pas dankbaar aanvaar het. As jy nie daarvan hou nie, gaan kla by die CCMA. Totsiens, Christina."

Christina pluk die kantoordeur oop en storm uit. In haar hokkie haal sy die paar notas van die aansteekbord af, druk haar notaboeke in haar sak en pluk die skootrekenaar se koord uit die muur. Sy groet nie haar kollegas nie. Hou haar rug met moeite regop en sit die skootrekenaar en instapkaart onseremonieel voor die grootoog ontvangsdame neer.

IX

Malan hou sy seun onderlangs oor sy koppie se rand dop. Dié is besig om sy derde dubbele espresso te drink. Hy hou sy arm besitlik om sy koppie, kop omlaag, wantrouige oë wat sy onmiddellike omgewing agterdogtig inneem. Sy naels is pikswart geverf en dop plek-plek af. Sy blonde hare beur teen die swart en skyn deur waar sy hare begin uitgroei. Daar is swart smeersels onder sy oë. Of dit grimering of iets anders is, sal net hy weet. Wanneer het hierdie transformasie plaasgevind? Hoekom het Elaine nie ingegryp nie?

"So, hoe gaan dit by die skool?" vra Malan. Dit is 'n patetiese gegryp na 'n gespreksonderwerp, maar hy weet te min van die kind om oor iets anders te praat. Nie dat hy danig lús is om met hierdie moerige veertienjarige te praat nie.

"Seriously? Jy weet hulle wil my uitskop. Dis hoekom die kak hoof jou wil sien. Nie dat jy ooit beskikbaar is nie."

Malan probeer registreer wat die kind sê, maar dit maak nie sin nie.

"Ek dog dis jou ma wat weer melodramaties is. Hoekom wil die skool jou skors?"

"Want hulle is kak. Superkak."

"Hei," keer hy. "Taal."

Ben pof homself op.

"Taal? Mý fokken taal? Het jy jouself al hoor praat?"

Malan weet nie wat om te antwoord nie. Wat sonder twyfel wel kak is, was hierdie idee om saam met sy seun tyd deur te bring voordat hulle die hoof gaan sien. Of dit werklik nodig is, is die vraag. Hy het gehoop hy kan die kind se nonsens uitsorteer sonder dat die blerrie skool verder betrokke is. Dan kyk hy weer na Ben. Hierdie klein stront is besig om sy lewe verder te kompliseer in 'n week wat moontlik daartoe gaan lei dat hy vir die res van sy lewe vooroorgebuig in Pollsmoor sit. As iemand anders sien wat in die koevert was wat hy gekry het, is dit beslis sy voorland.

Hy skuif op sy stoel rond. Dit is asof daardie koevert in sy baadjie se binnesak hom dwarsdeur die materiaal brand en aan hom vreet. Met moeite dwing hy sy gedagtes terug na die seun.

"Wat gaan aan met jou? Komaan. Waarom wil die skool ons regtig sien?"

Die skielike toonverandering laat Ben fronsend opkyk.

"Ek sê mos, die skool is vol kak. Klomp wankers wat op my case is omdat ek nie val vir hulle kak nie en ek nie myself kan wees nie. Erg genoeg dat ek met júlle kak moet sit. Daaraan kan ek niks doen nie. Maar ek gaan nie kak vat van die kak skool en die kak hoof nie. Hulle steek hulle kak lang neuse in my besigheid en dit het niks met die wankers uit te waai nie."

"As jy gaan vloek, kyk of jy ten minste jou woordeskat kan uitbrei."

Ben draai sy kop skuins en kyk met soveel weersin na Malan dat hy instinktief terugsit om 'n spoeg of 'n klap te vermy.

"En as jy gaan rondnaai, kyk of jy ten minste hoere en slette en … en prozzies kan vermy."

Die effek daarvan is nie so maklik om te vermy soos 'n klap nie.

"Wat gaan aan met jou?" vra Malan weer.

"Jy. Jý. Ek weet alles van jou. Alles. Ek dink jy's 'n kak pa en kakker mens. Ek wens jý was dood. Ek wens ek kan jóú sien bloei!" Ben spring op, gooi sy leë espressokoppie op die vloer en stap uit.

X

Malan kyk sy seun agterna terwyl 'n kelnerin met 'n verwy-
tende kyk nader kom.

Fokken klein stront. As Ben in die kak is, kan sy ma dit
gaan uitsorteer. Hy is nie lus nie en hy kan nie nou aandag en
tyd en emosionele stamina aan die klein drek afstaan nie. Hy
glimlag verskonend en sak saam met die kelnerin af om die
skerwe op te tel.

Toe sy weg is, steek hy sy hand in sy baadjie se binnesak. Hy
het die koevert en sakdoek net so in sy binnesak gedruk. Bang
as hy die twee skei, gaan een loop en klik oor wat die ander
weet. Is die sakdoek met sy voorletters keurig geborduur – dan-
kie nogmaals, Elaine – regtig die een wat hy Dinsdag gehad
het? Is dit Anna se bloed? Hy kan nie onthou of daar 'n sak-
doek tussen die klere was wat hy in die sak gestop het om van
ontslae te raak nie. En daar is geen manier om uit te vind nie.
Die sak het hy in 'n skip op 'n bouperseel in die stad gaan gooi.

Hy kyk om hom rond. Die bietjie aandag wat hy gekry het
weens Ben se uitbarsting is weg. Dis 'n besige koffiewinkel
in Kloofstraat. Hy weet lankal as jy enigiets geheim wil hou,
doen dit op die besigste plek waaraan jy kan dink. Dít het hy
met sy eerste affair agtergekom. Jy kan letterlik onder almal
se oë aan die vry raak. Mense sal dit nooit oorweeg dat jy so
vermetel kan wees om saam met haar by een van die mid-
delste tafels te sit en sy jou piel tussen die binnebane van haar
voete kan ry totdat jy op 'n gestyfde damasservet kom nie.
Maar doen dit nou in 'n agtersteeg en jy haal die koerante.

Hy sou dus nou maar die koevert en sakdoek kon uithaal en niemand sou belangstel nie. Dit is egter asof sy hand nie dié opdrag van sy brein wil gehoorsaam nie. Dan los hy dit maar. Was nog nooit juis iemand met uithouvermoë nie. Slaan rem aan as die revs te hoog raak. Hy wink dus eerder die kelnerin nader en bestel nog 'n koppie koffie. Swart Americano. Verander dit eerder na decaff. As hy al ooit in sy lewe moet fokus, is dit nou.

Dit voel steeds heeltemal onwerklik. Hierdie week van waansin. Maandag. Net nog 'n sieldodende, greinverterende dag in sy lewe. Ongemaklike ontbyt saam met sy gesin in hulle keurige eetkamer. Wel, hy dink hulle is daar, want hy gee nie werklik om nie. Hy lees die koerant, eet wat voor hom neergesit word, drink sy koffie en ry na die ivoortoring. Sleep homself deur die dag. Gaan plant homself na werk in 'n restaurant neer – deesdae meestal alleen – en gee hom oor aan whisky en 'n bord kos wat sy are sommer daar en dan vernou. 'n Gewone Maandag.

En toe Dinsdag. Net nog 'n sieldodende, greinverterende dag in sy lewe. Ongemaklike ontbyt saam met sy gesin in hulle keurige eetkamer. Wel, hy dink hulle is daar, want hy gee nie werklik om nie. Hy lees die koerant, eet wat voor hom neergesit word, drink sy koffie en ry na die ivoortoring. Sleep homself deur die dag. Totdat Anna-fokkenhoerslet Neethling sy kantoor binnestorm. Sy lewe kontinentaal opfok. Want nou lê sy en verrot in 'n drom in Wynand du Toit se kanohuis en iemand weet daarvan. Haar selfoon was in sy kantoor. Sy bebloede sakdoek wat tog so vriendelik terugbesorg is. Hierdie donnerse boek wat in sy sak lê en smeul.

Vanoggend straks na 04:00 het sy gewone demone ekstra moeite gedoen en 'n vertoning saam met dansende ape in sequinrokke en mallemeulemusiek gelewer. Hom vermaak met die besef: Iemand weet. Iemand weet van Anna. Iemand anders weet waar Anna is. Iemand het hom gesien. Die iemand wat

haar waarskynlik vermoor het en hom nou aan sy strot gryp.
Die iemand wat sy sakdoek op 'n haas onverklaarbare wyse in
die hande gekry het. Iemand wat haar selfoon in sy kantoor ge-
plant het.

'n Bak vol ys stort oor sy kop uit.

"My liewe God." Malan vou sy hande oor sy kop.

Sy bajonet. Sy bajonet is weg.

VRYDAG

Deel een

I

Die kelder is vanaand grafstil. Hy haal diep asem. Nooit sal hy moeg word vir hierdie reuk nie. Hierdie gevoel nie. Nooit nie. Gistende druiwe. Die taai aan sy hande. Die lamheid in sy arms en bene. Vroegdag in die wingerd. Gee die groen lig. Die spanne spring in.

Terug na die kelder. Wag vir die plukmandjies. Gaan hy dit verkoel of gaan hy nie? Rodney wat die mandjies leegmaak in die kratte. Die kratte word hoog gehys na die ontstingelaar en pres en word dan omgedop. Nog 'n keer en nog 'n keer en nog 'n keer. Die sap wat later soet en geil onder die doppe wag om aan die lewe te kom. Die oorpomp in die sementkuipe. En môre van voor af. Daarna die wag. Die dans met die natuur. Gee my jou vrug en ek verewig jou in glas. Of Charlie gaan.

Hy kon nog nooit verstaan hoekom sy pa so 'n afkeer van hulle wingerd gehad het nie. Freud sou seker iets te sê gehad het oor sy pa se verhouding met sy ouers, wat handboek-Oedipaal was. Sy pa en oupa het epiese woordewisselings gehad wat meermale tussen glas-skerwe of die stukke van 'n gebreekte wynvat geëindig het. En wat hy kan onthou van sy ouma, is dat sy haarself gesien het as 'n tipe Gaia wat onbaatsugtig haar lewensgewende borste deel. Eintlik was sy pa 'n goeie wynmaker, maar hy het meer van die titel gehou as die eise van die werk. Dit sou mense soos arme Lloyd se pa maar te goed geweet het.

Hy stap in die donker deur die kelder. Gebruik sy selfoon as flits. 'n Laaste keer se deurstap voordat hy op die stoep gaan sit met 'n yskoue chardonnay. Nie syne nie. Ondrinkbaar. Asof jy kop eerste

135

in 'n karamelpot geval het. Buurman s'n. Baie goed. Gis dit wild.
Wilde idee.

En dan, iets ... Hy draai sy kop om beter te hoor. Linkeroor
is in sy moer. Te veel harde skote langs hom op die kaplyn. Klink
soos 'n geplons. As dit weer 'n kat is wat in een van die kuipe
geval het, gaan hy sy moer strip en dan tien teen een huil. Soos
wat hy sy pas versnel, raak die geplons harder. Amper reëlmatig.
Ritmies. Egalig.

Hy weet dit is sy voordat hy haar sien. Wéét. Want sy is nie net
nie. Sy kan nie net wees nie. Sy vul die ruimtes om haar, vul dit
met haar reuk, stem, aanraking, idees, uitspattighede, murmure-
rings, sysagte hare. Sy klim soos 'n fokken janfiskaal in jou kop en
stoot jou eie wil uit die nes. Maar jy is bly as sy oorneem, want jou
eie wil maak plek vir haar waansinnige een.

Hy stap om die draai, links voor hom is ses enorme sementkuipe.
Gewoonlik sou hy nou van kuip tot kuip gestap het. Oor die rand
geloer en sy hand deur die gistende doppe getrek het. Dalk oor sy
skouer geroep het dat iemand die pinotage hier moet kom deurdruk.
Of dat dit tyd was om gis by die cabernet te voeg om dit te inokuleer.
Dis onmoontlik om nie kompulsief na jou wyn om te sien nie.

Behalwe vanaand.

Vanaand stap hy reguit aan. Die maan skyn deur die opening
doer anderkant en verlig die laaste kuip. Hy sien eers haar arms
wat oor die kante hang, dan die agterkant van haar kop en haar
drywende voete. Dit lyk asof sy in 'n jacuzzi sit. Haar voete beweeg
uitmekaar, dan weer nader. Heen en weer swaai sy haar heupe.
Oop en toe gaan haar bene. Voor teen die kuip loop dopspore af.

Anna.

In die loop het hy al sy gordel losgemaak. Pluk sy Rossi-stewels
af. Skud sy broek af. Trek sy hemp oor sy kop. Klim in die kuip. Gryp
haar enkels en trek haar ru na hom toe. Vir 'n oomblik verdwyn sy
onder die doppe. Haar kop is skaars weer bo, dan druk hy homself in
haar. Sy snak en hys haarself op. Glip haar arms om sy lyf en klem

hom vas. Sy hande is onder haar boude en hy dwing homself dieper
en dieper by haar in. Die taai sap klots om hulle en spoel oor die kuip
se rand. Doppe kleef aan haar gesig, haar nek, haar borste. Met elke
stootbeweging lek hy oor daardie borste, haar nek, haar gesig.

Dawid sukkel orent. Hy stut homself op die matras en probeer
sy asemhaling onder beheer kry. Anna. Anna. Anna. Nou is sy
terug in sy kop en sy drome. Nee, nie sy drome nie. Dit was nie
'n droom nie. Dit was 'n herinnering. Wie se fokken onder-
bewuste gaan haal herinneringe in plaas daarvan om drome te
weef? Jy kan dit immers die volgende oggend van jou af-
skud selfs al het dit baie na aan die werklikheid gevoel. Want
dit was net 'n droom. Of 'n nagmerrie. Maar die werklike
nagmerrie lê in herinneringe wat deur die barrikades van jou
droomsfeer beur.

Hy maak sy oë toe. Daardie aand het hy twee keer gekom.
In die kuip in die drie ton se cinsaut. Want albei kere het sy
vinnig losgeruk net toe hy verby die punt van omdraai was,
sodat hy aspris sy merk in sy druiwe moet laat. En hom dan
weer vasgegryp, hom aggressief terug in haar gedruk. Hy sou
'n derde keer haas onbegryplik en onkeerbaar gekom het as
sy nie haarself skielik van hom losgemaak het, oor die rand
geklim en woordeloos weggestap het nie. Met die uittap van
die cinsaut die volgende oggend het hy amper spyt haar taai
voetspoor weggespuit. Maar dit was taai, want haar voetspore
lê sy hele kelder en kop vol.

Dawid staan op, tel sy kakiekortbroek en swart T-hemp
van die vloer af op, trek dit aan en stap na die kombuis. Ter-
wyl hy wag vir die koffiemasjien om lewe te kry, kyk hy by die
venster uit. Die perdekamp is leeg. Voor sy hom spektakulêr
gelos het en hom letterlik tussen die bene geskop het toe hy
wou keer dat sy loop, sou Andrea nou in die verte besig ge-
wees het om haar perd om en om in die kampie te ry. Dit het

gevoel of dit altyd 'n nuwe een was, want hy kon nie onthou of haar perd gister of laas week of laasmaand swart was nie? Dan ry sy skielik 'n witte met een bruin poot. Hy trek sy skouers op. Snaaks hoe banaal alles nou voel. Elke keer wat hy 'n perd gesien het, was hy die bliksem in omdat dit beteken hy kon nie nuwe François Frères-vate koop nie. 'n Fokken stuk hout was vir hom meer belangrik as sy vrou. G'n wonder sy het geloop en met 'n cowboy getrou nie. Laat hulle dan maar saam perdry en in die stalle spyker.

Hy haal melk uit die yskas en laat stoom dit totdat die wit wolk amper oor die beker se rand loop. Vernuftig skink hy dit in 'n spiraalpatroon, neem sy koppie en stap na sy studeerkamer. Maak die deur agter hom toe. Draai die sleutel. Hy gaan sit agter die swaar geelhoutlessenaar. Dit was sy oupa s'n. Toe Andrea weg is en amper die hele huis weggedra het, was hy net bekommerd oor hierdie tafel.

Dawid streel met 'n plat hand oor die gladde blad terwyl hy kyk na die foto's wat in 'n netjiese ry teen die oorkantse muur hang. Die pryse en trofeë is onder in die sitkamer waar almal dit kan sien, maar sy familiefoto's word hier weggesteek in 'n kamer waarvan daar net een sleutel is.

Sy oë volg die foto's van sy oupagrootjie s'n links tot by sy eie foto heel regs. Drie, nee vier geslagte Briers ... Hy frons. Hy kyk al vyf dekades na die foto's en sien dit nou eers raak: op al die foto's sit almal geposeer. Almal sit op 'n ry of staan in 'n ry. Sommige lyk soos skoolfoto's. Eers sy oupagrootjie vorstelik en kiertsregop op 'n stoel met sy vrou wat gedwee agter hom staan. Hy het 'n beneukte kyk onder 'n paar ruie wenkbroue. Dawid wonder of die Briers-humeur by hom begin het en of hy dit maar net met mening oorgedra het. Dan sy oupa en 'n paar werkers in 'n ry by die cabernet sauvignon-blok wat hy manalleen geplant het – geen familie in sig nie. Later hy op sy pa se skoot. Die kleur is dof, wat die foto 'n retrogevoel gee. Sy pa kyk na die kamera, maar sy ma kyk vertederend af na hom. En dit lyk soos sy oupagrootjie se foto. Niks het verander nie. Hulle poseer soos mekaar en lyk op 'n haar na mekaar.

Die laaste foto in die ry is van hom en Andrea. Hy kan nie onthou wanneer dit geneem is nie. Moet lank gelede wees, want hulle glimlag albei. Die see is in die agtergrond. Waar was dit? Hermanus? Umhlanga? Mauritius? Griekeland? Wie kan of wil onthou. Hulle is goudbruin gebrand, hy kaalbolyf in 'n blou swembroek en sy in 'n wit bikini met geel madeliefies op. Die son het goue strepe in haar roesbruin hare gevleg. Waar was dit tog? Toe was dit genoeg om net hulle twee saam te wees. Toe word die feit dat dit net hulle twee is die groot verwyt. Soms wonder hy of dit die sondes van die voorvaders is wat die kinders – ironies net seuns – laat opdroog het. Sy oupagrootjie het drie gehad, sy oupa het twee seuns met die lat grootgemaak, sy pa net een. Die laaste een, hy, Dawid Gabriël Briers. En toe oorval donkerte en leegheid die familie.

Hy voel-voel onder sy stoel na die sleutel. Sluit die laai links van hom oop en haal die koevert uit. Neem eers 'n sluk van die koffie wat reeds amper ondrinkbaar koud geword het en haal die papiere uit. Staar lank daarna voordat hy omblaai. Links bo is 'n datum. Vyftien jaar gelede. Hy begin lees. En dis nes hy gedink het: Sy begin vertel van daardie nag.

11

Christina maak haar oë oop.

"Goeie hel," sê sy en sukkel orent. Sy stamp haar kop teen die antieke bedkassie en 'n bottel tuimel af, so ook 'n glas. Laasgenoemde spat aan skerwe.

"Eina! Donner!"

Sy swaai haar bene oor die bed se rand en kyk na die bottel en gebreekte glas. Dit is 'n leë bottel Tempranillo wat Sebastiaan vir haar van Spanje af saamgebring het en sy eintlik wou hou. Dit is ongeskonde, maar nou is een van haar mooi kristalglase in sy maai. Duidelik het sy gisteraand die behoefte gehad om uit te hang. Sy raak aan haar kop; dit voel asof 'n driejarige in haar skedel trom speel. Sy kan nie so sleg voel van een bottel wyn nie. Sy staan op en stap na die badkamer. Langs die bad staan nog 'n leë bottel. Haar oë sukkel om te fokus en sy probeer nie eens die etiket uitmaak nie.

"Oukei. Dit maak sin," mompel sy. Sy bekyk haarself in die spieël. "Jis, jy lyk oes. Geen wonder jy is gefire nie, want jy lyk na aan aftree."

Haar donkerblonde hare hang slap oor haar linkeroor in 'n skewe poniestert wat sy in 'n koek in geslaap het. Haar maskara het swart spore onder haar oë gelaat. Sy staan nader aan die spieël. Haar groen oë is bloedbelope en 'n kwylstreep het 'n wit spoor van die hoek van haar mond teen haar nek af gelaat.

In die kombuis trap sy oor nog 'n leë wynbottel en gooi kos in haar kat se bak. Sy huiwer vir 'n oomblik. Waar is haar groot, lui swart kat? Maar een ding op 'n slag. Sy gaan maak die yskasdeur oop en staan besluiteloos en kyk na die karige inhoud. Haal die melk uit, ruik daaraan – suur. Sy klap moedeloos die deur toe. Stap terug kamer toe en klim weer in die bed. Sy wens sy kon nou haar pa bel. Hy sou iets gesê het om haar te troos en dan te laat lag. Oor presies 'n uur sou hy voor haar deur gestaan het met 'n Bar One, 'n Coke en die nuutste *Weg*. Sy het dit nooit oor haar hart kon kry om vir hom te sê dat sy nie regtig 'n *Weg*-leser is nie. Haar idee van 'n stadige hel is om te kampeer of 'n berg te bestyg. 'n Mooi vyf-en-dertig jaar lank al bly sy lángs Tafelberg en Skeleton Gorge het haar nog nooit gesien nie. Maar sy het die tydskrifte gelees wat hy vir haar gebring het. Elke liewe een. Sy wens sy het almal gehou en nie net die laaste een nie. Die dood bring altyd 'n vlaag sentimentaliteit.

Sy kreun. Haar ma. Haar perfekte ma. Hoe gaan sy vir haar ma sê sy is afgedank? Sy wou in elk geval nie gehad het haar enigste kind moet haar in so 'n morsige beroep soos joernalistiek begewe nie. Onderwys. Of ryk trou. Dit is goeie opsies vir 'n dogter. Sy het dit een keer gewaag om vir haar ma te sê haar ambisie strek verder as om 'n kombi te bestuur en langs sportvelde te staan met Bio Gel-naels. Haar ma het 'n dag lank op haar bed na 'n donker plafon lê en staar. Hoe haar pa dit met haar uitgehou het, weet niemand nie.

Christina lê terug en maak haar oë toe. Anna Neethling is 'n heks. Elke man wat sy ken, is deur daardie vroumens in die tande geskop. Nou sy ook. Maak nie saak dat Anna weg is nie. In elke moontlike scenario tree sy sterker as ooit na vore. Keer sy ongedeerd terug, wonder almal waar sy was en mitologiseer haar verdwyning. Skryf dit toe aan skrywerstemperament en almal raap haar volgende crappy boek op. Is sy gewoon weg en bly sy weg, dan word sy 'n ikoon en vir die volgende dertig jaar bespiegel almal oor wat van haar geword het. Het sy haar polse gesny, word sy die nuwe Ingrid Jonker. En as iemand die wêreld 'n guns gedoen en haar vermoor het, is sy die onverganklike slagoffer.

Haar selfoon lui. Sebastiaan.

"Hei," antwoord sy.

"Jy klink verskriklik."

"Dankie. Net wat ek wou hoor."

"Waar's jy?"

"By die huis."

"Is jy siek?"

"Nee."

"Wat gaan aan?"

"Ek's gefire."

Sebastiaan lag.

"Ek is ernstig. Yolanda het my gister gefire. En toe raak ek aan die drink. Alleen. Ek en my kat en die laaste goeie wyn wat ek besit – onder meer die Tempranillo wat jy vir my gebring het – en wat ek sekerlik nooit weer self sal kan bekostig nie. Fok, ek's sad."

"Wat het gebeur?"

"Jy wil nie weet nie."

"Try my."

"Nee, regtig."

"Sê tog net."

"Los my, Sebastiaan!"

"Christina!"

Sy haal diep asem.

"Twee woorde. Anna Neethling."

"Fok."

"Jip."

"Maar hoekom?"

"Ek het nie nou die krag om daaroor te praat nie."

"Oukei."

Die stilte raak ongemaklik. Aan die een kant het Christina nodig om gal af te gaan oor die mislike Yolanda Niemand en Sebastiaan is die enigste vriend by wie sy dit kan of wil doen. Maar nie met Anna Neethling as deel van die onderwerp nie. Nooit nie.

"Ek wil eintlik weet hoe laat jy wil ry," sê hy.

"Waarheen?"

"Na Dawid. Lunch op die plaas."

"Ag nee. Ek het vergeet. Ek is nie lus vir Dawid, ooreet en veral wyn nie."

"Het jy nie net hierdie Dinsdag nog vir my gesê die beste remedie vir 'n hangover is om weer op die perd te klim nie? Tamatiesap wat wonderbaarlik in wyn verander nie? Toe, die skoen is aan die ander voet. Drink koffie, gaan stort, maak jou reg. Ek tel jou twaalfuur op."

III

"Hei."

"Hei."

"Hoe lyk dinge?" vra Ben en skuif langs Adam op die pawiljoen by die swembad in.

Adam haal net sy skouers op en staar na die water. Hy gooi reëlmatig gruisklippies daarin. Vryf sy donker hare deurmekaar. Gooi weer klippies in die water.

"Jammer om te hoor van jou ma," sê Ben. Hy strek sy lang bene voor hom uit. "Weet jy wat van haar geword het?"

Adam trek weer sy skouers op. Skud sy donker kuif met 'n skouerbeweging uit sy oë.

"Dis nie die eerste keer dat sy wegraak nie. Sy doen dit mos baie."

"Regtig?"

"Jip."

"So, jy worry nie?"

Adam kyk na Ben en glimlag skeef.

"Dis my ma, onthou."

"Ja, oukei. Maar ... maar as sy dit altyd doen, hoekom het jy dan hierdie keer polisie toe gegaan?"

"Want gewoonlik stuur sy vir my of oom Wynand 'n boodskap. Daar's ook 'n paar plekke waarheen sy gaan, maar sy's nie daar nie. Ek het gaan kyk."

"Dis kak."

"Ag, whatever. Ek wil seriously nie daaroor praat nie." Adam laat rus sy elmboë op sy knieë en kyk na die rimpelings op die water. "Is jy nie veronderstel om geskors te wees nie?"

"Leysens moet eers met my kak ouers praat, maar hulle is nooit daar nie. Want my pa fok rond en my ma lê uitgepass op die bank meeste van die tyd."

"Wel, dan is jy gelukkig; jy is nie geskors nie." Adam haal sy selfoon uit sy sak, kyk vir 'n oomblik daarna en druk dit dan terug.

"Ek wíl geskors word. Hierdie is 'n kak skool met kak onderwysers. Dit is die enigste manier wat ek gaan wegkom."

"Hoekom vra jy hulle nie net of jy kan waai nie?"

Ben snorklag.

"My ma-hulle? Sy en my pa was in hierdie skool. Al twee my oupas en een van my oumas was hier. Dink jy hulle gaan my by die hek laat uitglip? Nee, dude. Ek gaan 'n show moet opsit. En ek het."

"Ja, jy hét," sê Adam en kyk fronsend na Ben.

"I know, right? Dit was kak cool. Jy moes Leysens se gesig gesien het. Nou kan ek nie wag om my ma en pa se gesigte te sien wanneer hy vir hulle vertel nie. Dan is ek for sure hier uit. Ek wou al Dinsdag vir my pa gaan vertel het. Actually na sy werk gegaan en als, maar hy was soos gewoonlik nie daar nie."

"Maar hoekom het jy die kat se stert probeer afsny? Dis hectic. So ... so hectic. Sodat hulle jou kan skors?"

"Nee, dit was 'n bonus. Total bonus. Ek het later eers gekliek dat ek 'n flippen genius is. Ek wou al lankal kyk wat gebeur. Ek wou sien wat die kat doen as hy nie meer 'n stert het nie. Het jy al gecheck hoe 'n kat se emosies soort van in sy stert is? As hy pissed-off is, dan gaan dit so heen en weer. En as hy flirt, dan draai hy sy stert om jou. En as hy slaap, dan tuck hy dit onder hom in. En as hulle klein is, dan speel hulle met hulle eie sterte. Toe dink ek, check wat doen 'n kat as jy dit wegvat. Ek het amper sy stert afgechop, maar toe hardloop die ding weg." Hy strek homself uit. "Ek is op 'n roll.

145

Unstoppable. Ek begin skoonmaak, dude. Jy gaan nog sien."

"Dis messed-up. Jislaaik, Ben. Fucked-up," fluister Adam.
"Al wat gebeur het, is dat jy uit die skool geskop gaan word en
hulle moes die arme kat uitsit. Super messed-up." Adam laat
val die laaste gruis in sy hand en begin torring aan sy trui se
mou wat heeltemal aan die uitrafel is.

"Weet jy wat is messed-up?" vra Ben heftig en vat Adam
aan sy skouer vas. "Ons ouers. Die kak wat hulle aanjaag. Die
kak mense wat hulle is. Hulle gee nie eens om dat ek 'n kat se
stert wou afsny nie. Hulle wéét nie eens nie. Want hulle gee
nie om nie en Leysens dans soos 'n stupid ballerina of iets om
hulle. Hoekom? Seker omdat hy soos die res van die wêreld
gatkruip by my oupa. Die ou drol. Ek wens hy wil doodgaan
sodat ek my geld kan kry. En anyway, as dit so hectic was, het
die skool my dadelik uitgeskop en die polisie gebel. Leysens
is selfs te kak sleg om charge te neem."

"Seker maar," sê Adam en trek sy skouer onder Ben se hand
uit. "Anyway, ek gaan waai. Die klok gaan nou lui. Sien jou."

Ben kyk Adam agterna. Hy kry die ou jammer. Sy pa en
Adam se ma is die rede hoekom die wêreld 'n kak plek is.
Maar hy gaan iets daaromtrent doen. Nee, hy het reeds. Hy
grinnik. As hulle maar net weet.

IV

Stefaans stap by die Seepunt-polisiestasie in. Reeds kronkel die drie rye by die deur uit. Selfs as daar nog tien konstabels by die toonbanke staan, gaan die rye steeds by die deur uit loop. In hierdie buurt is die toevloei van mense nimmereindigend. Hy trap oor 'n bergie wat bloedneus teen die muur sit en haar onmiddellike omgewing uitskel. Niks persoonliks nie, maar iemand moet die blaam dra.

Pop sit elke dan en wan aan hom om te vra vir 'n oorplasing Bellville toe, of ten minste die noordelike voorstede, maar hy hou van Seepunt. Dit is vir hom lekker om langs die see te stap en sy kop skoon te maak. Die rit terug laatmiddag of laataand help hom om deur die dag se aanslae te werk voordat hy by die huis kom. Teen die tyd dat hy Pop vasdruk en sy hondekinders se koppe gevryf het, het die beeld van die kinderlyk of die brandreuk van die opgeblaasde transitogeldwa vervaag. Net 'n bietjie, maar elke bietjie help.

Stefaans gaan na sy kantoor en maak die deur agter hom toe. Die handvatsel is lendelam en hang windskeef. Hy drukdruk dit terug in posisie, maar die deur gaan kort voor lank weer oopgepluk word sodat papiere, vrae en opdragte na sy kant gegooi kan word. En dan foeter die handvatsel weer af. Hy kyk op sy horlosie. Hy het darem nog so 'n uur voordat die waansin op hom toesak.

Hy sit sy kosblik, sleutels en beursie in 'n laai en sluit dit. So ironies dat hier by die polisiestasie seker meer dinge wegraak as by 'n arme Somaliër se oop spazawinkel in die middel van Khayalitsha. En dit is meestal nie die gereelde besoekers wat die plek leeg dra nie. Net verlede week kon hy sién daardie nuwe ou van Caledon dra sy leerbaadjie wat kort tevore voete gekry het – hy sal die bruin laslappiewerk enige plek uitken. Maar hy weet ook van beter as om 'n medepolisieman van diefstal te beskuldig. Selfs al blyk dit jy's reg, gaan die stasie se mense jou 'n koue skouer gee wat nooit ontdooi nie. Maar daardie baadjie is 'n blerrie mooi ding, al kan hy hom deesdae net op 'n afstand waardeer.

Pop het dadelik vir hom 'n ander een gekoop, die swarte wat hy nou aan het. Shame, dit moes die helfte van haar salaris gekos het en dit is nie heeltemal die oue nie, maar dit is tog classy. Nes sy Pop. Sy wou so graag vir hom 'n Harley-baadjie gekry het, maar hulle kan dit nie eens saam bekostig nie. Hy het haar getroos en gesê hy kan en mag eers Harley colours dra die dag wat hy een besit. Hy het met genoeg bikers te doen gekry om te weet dat hulle jou knieë sal breek as jy so voorbarig onverdiend daarmee rondloop. Dit verstaan hy goed en hy gaan presies dieselfde wees wanneer hy eendag sy colours kry. Eendag is eendag en dan verkoop hy die karavaan en koop vir hom 'n Harley.

Maar hy verkies in alle eerlikheid nog die baadjie wat nou aan sy langvinger-kollega se bas sit.

"Fokker," mor hy en trek-trek aan sy swart leerbaadjie se moue terwyl hy opstaan. Hy loop na die witbord wat teen een van die mure gemonteer is.

Die idee kom van al die polisiereekse wat hy so graag kyk en hy moes self daarvoor betaal en dit self opsit, maar hy was nog nie 'n dag spyt nie. Hy dink beter as hy die volle prentjie sien.

Op die bord het hy 'n foto van Anna geplak – in die middel. Regs daarvan het hy 'n tydlyn van haar laaste bewegings gemaak. Die enigste een wat hom regtig kon help, was Adam.

En maak nie saak hoe oulik of slim of volwasse nie, 'n veertien-jarige wat sy ma as vermis moes aanmeld, gaan nie die beste hulp wees nie. Daai kind wankel gevaarlik. Shame.

Stefaans staan nader aan die bord, tel die kokipen op en gaan weer deur die tydslyn.

Dinsdag
07:45 – 08:00 – Laai Adam af
08:00 – 11:00 – ? (Gym? Koffie? Inkopies?)
11:00 – 11:45 – Sien Malan Sinclair by B&B-kantore
11:45 – ???

"Shit, tog. Ek het net mooi fokkol," praat hy met homself. Hy speel ingedagte met die goue ketting om sy nek. Trek die koki-pen se doppie af en trek 'n streep deur die tydlyn.

Hierdie is die vreemdste saak wat hy al gehad het. Gewoon-lik wag hulle darem langer as 'n dag voor 'n soektog van stapel gestuur word as iemand as vermis aangemeld word. Anna is skaars 'n dag weg. Maar dit was die oproep na sy polisiestasie wat protokol by die venster uitgegooi het. "Anna Neethling is weg en sal nooit weer gevind word nie. Nooit nie." Dit was die presiese woorde. Goddank die flinke konstabel Jerome Jantjies het die oproep geneem en dit dadelik na hom gebring. Dit was 'n man. 'n Jong man. En sy stem het bietjie gebewe. So, bene-wens die oproep en die vae beskrywing van die beller, het hy regtig sweet blou fokkol om mee te werk.

Hulle het 'n paar toutjies by hul mediakontakte getrek om vinnig 'n berig in die koerant te kry. Dit het nie eens veel oorreding geneem nie, want die media kwyl oor enige skandaal waarby Anna betrokke is en wat is beter as 'n skielike verdwy-ning? Maar dit het ook boggerol gehelp. Net 'n klomp crazies wat bel.

Links van haar foto het hy 'n lys van mense wat na aan

149

haar is, gemaak. Daaronder 'n lys van die mense wat dalk die laaste was om haar te sien. Dat die uitgewers se kantore in die enorme mediagebou is, is sowel 'n voordeel as 'n nadeel. Daar is potensieel baie mense wat haar kon sien, maar as daar baie mense om jou maal, is jy blind en doof. Hy sal in elk geval behoorlik daar moet gaan rondvra. Gelukkig ken hy darem iemand hier en daar wat fyn luister en afluister.

Stefaans staan terug en bekyk die foto. Anna is mooi op 'n gevaarlike manier. Hare swarter as 'n Karoonag, amandelvormige blou oë wat selfs vanaf die foto regdeur jou kyk. Hy kan nie besluit of dit die hartseerste of kranksinnigste paar oë is wat hy al gesien het nie. Miskien albei. Sy glimlag breed, maar dit strek nie al die pad tot by haar oë nie. Tog is dit hipnoties, al weet jy baie goed jy gaan jou gat sien nadat jy haar gevry het. Soos daai goggas waar die wyfies die mannetjies se koppe afbyt as hulle klaar gepaar het. Wat's dit nou weer? Praying mantis. Hy kan sien hoekom sy mense so mal maak. Mans én vroue. Mans wil haar hê. Vroue wil soos sy wees. Oudste storie in die boek. Jy wil eintlik net jou kop skud en wegstap, want dit spel moeilikheid met 'n hoofletter-m en as dit nie jou sirkus is nie, is dit nie jou sirkus nie.

Maar hy het die kort lootjie getrek en nou dra hierdie sirkus sy naam. Dit is drie dae sedert sy weggeraak het. Uit ondervinding weet hy die kanse is skraal dat sy nog leef, maar hy weet ook dat jy nie elke geval op dieselfde wyse kan hanteer nie. As sy standvastig was en om die dood by haar roetines gehou het, het hy 'n lyk begin soek. Maar iemand soos Anna wat verskyn en verdwyn soos die bui haar pak, is 'n ander storie. Hy sal daardie lysie van haar mense moet pak. Een vir een hulle storie hoor. En belangriker nog: Elke mens wat Dinsdag by die uitgewery op kantoor was, gaan hy persoonlik mee moet praat.

Stefaans gaan sit agter sy lessenaar en kyk na die eerste naam op die lys: *Sebastiaan Barnard*. Trek die telefoon nader.

Soek die nommer op sy selfoon. Huiwer. Hy wil nie, maar kan nie anders nie. Basjan gaan met hom móét praat. As daar iets met Anna gebeur het, is hy 'n voor die hand liggende verdagte. Dit is vyf jaar na daardie verskriklike aand. 'n Mens sou sonder veel oortuiging kon glo dat hy bossies gegaan en haar iets aangedoen het.

Hy tik-tik-tik met die gehoorbuis op sy lessenaar. Kyk weer na die nommer op sy selfoon, maar kry homself nie sover om dit te skakel nie. Plaas die telefoon terug op die mikkie. Hy het 'n beter plan. Begin by die uitgewery. Begin by die persone wat, sover bekend, haar laaste gesien het. Begin by Malan Sinclair, want sy was daar om met hom oor iets te gesels. Maar eers moet hy 'n paar oproepe maak.

Stefaans wil sy telefoon weer optel, maar dan piep sy selfoon. SMS. Hy maak dit oop. Onbekende nommer. En slegs dit: *Anna kan gevind word op Malan Sinclair se selfoon. Nommer: 084 359 1072.* Stefaans vee fronsend oor sy hare. Bel die nommer van die sender. Gaan dadelik oor na: "The subscriber you have dialled is not available." Natuurlik nie. Net nadat hierdie boodskap gestuur is, het die simkaart seker in die vullisdrom beland. Hy bel die nommer in die boodskap.

"Malan Sinclair."

"Jammer. Verkeerde nommer." Stefaans plak die foon neer. Hy is nog nie reg om met hom te praat nie. Maar sy beurt sal kom.

V

Dawid maak die afgerolde dagboek toe.

"My fok." Paniek laat sy ore suis. Hy staan op en loop na sy boekrak. Trek 'n boek uit. Sit dit terug. Loop na die kaart oorkant die boekrak. Kaart van sy plaas se uitleg. Druiweblokke. Die cinsautblok staan uit. Gryp-krap na die kaart, maar hy weet nie wat hy daarmee wil maak nie en los dit. Kyk na die ry leë bottels op die vensterbank. Verruklike wyne wat die mooiste herinneringe terugbring. Herinneringe. Dis as gevolg van die verlede dat hy nou vasgevang is. 'n Kort stappie na 'n nagmerrie.

"Liewe Jesus Christus." Hy gaan sit weer. Kyk na die boekie op sy lessenaar asof dit hom gaan spoeg. Liewe Jesus Christus. Hy vloek nie. Hy durf nie. Hy bid. Hy durf ook nie. Hy gryp na halms met 'n patetiese uitroep na iets wat hopelik groter is en hierdie donkerte met lig kan wegskiet.

Dit was al vyftien jaar gelede. Vyftien. Maar 'n paar afgerolde papiere wys 'n ferm vinger na hom, na almal wat daardie aand daar was. Hy kon dit mettertyd stelselmatig vergeet. Dit in die dae daarná nog oproep as ontstellende fragmente van 'n poesdronk aand se wrakstukke. Later as 'n rowwe paartie met wie nou weer? En toe kom sit die tyd bo-oor alles en skyn dit nie meer deur die oppervlak nie. Ontkenning is 'n wonderlike ding. Ontkenning en tyd. Maar as 'n ooggetuieverslag in jou hande beland en albei irrelevant maak ...

Dis halfelf. Hy lig die gehoorbuis op. Haal diep asem. En weer, totdat sy asemhaling egaliger is. Bel dan 'n nommer.

"Wynand du Toit."

Diep asem.

"Wynand! Dawid. Hoe gaan dit?"

"Dawid! Uitstekend. Kan nie kla nie. Kan nie kla nie. En by jou?"

"Nee, nee. Ook lekker. Luister, dis 'n lieflike dag in die Boland en ek het 'n blink gedagte gehad: Kom eet by my. Eenuur. Kuier op die stoep."

"Vandag?

"Vandag, ja. Nou!"

"Ek neem aan hedonisme en dekadensie meld hulle onverwags aan."

"Onverwags, nie ongevraagd nie."

"Kort kennisgewing, maar nie te laat nie. Dankie. Sal daar wees. Ek bring my eie olywe, tapenade en limoncello."

"Fantasties. Sien later."

Dawid sit die telefoon neer. Haal diep asem. Skakel nog 'n nommer.

"Hallo?"

"Malan? Dawid."

Stilte.

"Dawid."

"Hoe gaan dit, Boet?"

"Wel, wat dink jy?"

Dawid knyp sy oë toe.

"Ek weet, ek weet. Luister, kom eet vanmiddag by my. Ek het vir my mense gesê hulle moet die vleispotte vul."

Stilte.

"Wie het jy nog genooi?"

Malan Sinclair is gewoonlik daar vir 'n kuier nog voordat jy afgelui het. Hoekom nou so anders? Kan net een rede wees: Hy het sy dagboek gekry.

"Ag, jy weet. Ons toffieboude. Christina en Sebastiaan.

Wynand. Jy. Probeer vir Lloyd in die hande kry. Dalk vir Conradie."

"As Conradie daar is, is ek helaas uit. Jammer, pel. Nie hierdie week nie. Nie nou nie."

"Ek verstaan. Nog nie genooi nie. Sal hom nie nooi nie."

"Hoe laat?"

"So eenuur?"

"Eenuur sal ek daar wees."

VI

"Ry, demmit!"

Sebastiaan glip by 'n kruiende kar verby om in die buslaan te kom. As daar nou een ding is wat hom die moer in maak, is dit mense wat kruip in hulle karre. Soccer moms van Durbanville of Welgemoed wat óf besig is om 'n ete-afspraak tussen hulle manikure en hot stone massages in te pas óf hulleself in die truspieëltjie te bekyk. En sy eintlike gunsteling: Dié rypes van jare, gewoonlik van Somerset-Wes, wat skynbaar die verganklikheid wil stuit of dalk net die trippie terug na Huis Vergenoegd wil uitstel deur teen veertig kilometer per uur te ry.

"Fume jy al weer oor die stadige bestuurders?" vra Christina skielik langs hom.

Sebastiaan het amper vergeet iemand sit langs hom. Dis die eerste keer sedert hy haar gaan oplaai het dat sy iets sê.

"Ja. Fokken irriteer my."

"Ek dink dis jou ultimate pet hate."

"Nee, fluit is. Ek wil iemand net 'n donnerse klap gee as hulle loop en fluit. Of neurie. Sing as jy wil sing, maar doen dit dan met oorgawe."

"Wat's verkeerd met fluit? Ek fluit altyd."

Hy kyk net na haar bo-oor sy donkerbril.

"Wat? Dis nou belaglik. Wil jy vir my sê ek is nog al die jare besig om jou grensloos te irriteer?"

"Jip. Maar toemaar. Ek is nog steeds lief vir jou."

"Jou moer. Nou gaan ek fluit elke keer wat ek jou sien. Hard en aanhoudend."

Sebastiaan glimlag en vra: "Voel jy al beter?"

"Nee. Ek fokus daarop om nie in jou kar op te gooi nie." Sy laat haar kop teen die kopstut rus. "Hoekom raak hangovers erger soos jy ouer word? Ek verstaan dit nie. Sekerlik moet jou lewer teen hierdie tyd al gewoond wees daaraan?" Sy klink lomerig. "Ek verstaan dit regtig nie. My lewer is óf gronddom en elke bietjie debauchery is nuus, óf sy is 'n mislike klein teef wat wraak neem omdat ek nie my groente stoom, groentee drink en gim toe gaan nie."

"Ek sou sê laasgenoemde. Maar slaap 'n bietjie. Jy gaan beter voel oor veertig minute."

"H'm. Lull her into a false sense of security. Ek hou daarvan. En nou-nou gaan sy weer ly. Wil mos," sê Christina net voordat sy wegdommel.

Debauchery. Teef. Debauchery. Teef.

Sebastiaan klem die stuurwiel vas en trap die petrolpedaal plat. Anna is sy kop vol hierdie week. As dit nou al so erg is, hoe gaan dit volgende week wees? En dan moes sy mos nóú gaan staan en wegraak of wegloop het sodat sy op almal se lippe is. Wel, sy wás al op almal se lippe. Letterlik. En nou duik beelde van haar op elke keer wat 'n lukrake snellerwoord getrek word. Soos nou. *Debauchery. Teef.*

Deur die jare het hy minder aan haar gedink. Haar houvas het verslap. Ná daardie gewraakte aand het sy ook in skerwe gespat. Die rekening het gekom en hy het betaal. Sy het haar gewone fooi gevra vir haar vertrek: 'n lewe. 'n Lewe aan flarde. Hoef nie noodwendig jou eie te wees nie. Sy is nie kieskeurig in daardie opsig nie.

Hy maak sy oë toe en haal diep asem. Fokus net op sy asemhaling. Verjaag die swart hond wat langs sy motor met die township agter hom saamloop op die N2. Gooi hom met 'n klip. Necklace hom. Gebruik hom vir muti.

Dawid het vroeër gebel. Rondgetrippel en ge-um en ge-aa.

Blyk hy het vir Malan en Wynand ook genooi. Fok. Dis nou die laaste mense wat hy wil sien. Dawid eintlik ook. Want dit is drie mans wat met hulle eie lewens Anna se losprys betaal het. Dawid het post-Anna nooit weer die wyn gemaak wat hy destyds gemaak het nie. Hy het geworstel om uit sy pa se kloue te kom, net om in hare te beland. Wynand is deur vyf of ses vroue. Sebastiaan voel nie eens meer sleg as hy een van die troues mis nie, want hy weet daar gaan nog wees. Gewoonlik 'n flentertjie uit sy kreatiewe skryfklasse of 'n hartseer, desperate dog stinkryk divorcée wat hy by 'n leeskringpraatjie raaknaai. En Malan. Sekerlik die een wat nooit werklik uit daardie si-kloon van 'n affair kon loskom nie, maar nog steeds met sy lewe moes betaal, insluitend sy gesin, loopbaan en laaste trots en eerbaarheid. Miskien is sy die een wat hierdie disfunksionele vriendekring op 'n baie donker wyse bymekaar hou. Gevange hou. Dalk is dit 'n tipe verwronge Stockholm-sindroom.

Nadat hy met Dawid gepraat het, het hy vir 'n oomblik gedink hy gaan terugbel en kanselleer. Dieselfde mans op dieselfde plaas as al daardie jare gelede. Die laaste aand wat Anna saam met hulle almal gekuier het.

Hy sien die Stellenbosch-afrit te laat.

"Shit." Nou gaan hy Somerset-Wes om moet terugry Stellenbosch toe. Seker nie 'n slegte ding nie, want dan kan Christina nog bietjie slaap en kan hy sy kop agtermekaar kry.

Anna se lyf. Dit is nie dat dit perfek is nie. Glad nie. Geen vrou s'n is nie. Net soos geen man s'n is nie. Maar sy pas in haar lyf. Sy is gemaklik daarin. Sy is vry in haar lyf en bevry jou met hare. En dit – meer as enigiets – is wat haar so onweerstaanbaar maak. Vir hom altans. Die manier wat sy het om onmiddellik haar klere uit te trek wanneer sy by haar huis of jou huis of selfs vriende se huis is. Gewoonlik met laasgenoemde is daar iemand wat kla of kinders wat kwansuis beskerm moet word, en dan sal daar 'n vredesooreenkoms wees in die vorm van 'n deurskynende toppie of rompie sonder onderklere. Maar sy doen dit nie vir die reaksie nie. Sy wil nie aan bande gelê word nie. Nooit nie. Is obsessief daaromtrent.

Dit was hoe dit die eerste keer gebeur het. Hulle was by een van Malan se berugte partytjies, in die dae toe uitgewers nog dekadent en nie didakties was nie. Teen middernag was die een helfte van die lot uitgepass op banke en halflyf oor tafels. Die ander het rondgedwaal in Elaine se gemanikuurde tuin met al sy hoekies en draaitjies en bankies en God weet wat nog. Hy het met 'n vonkelwynbottel in elke hand rondgestrompel en op 'n manier langs haar in een van die hoekies beland. Op hulle rûe na die naglug lê en kyk. Woordeloos. Daar was nie 'n maan of sterre nie, net die donkerte wat bo hulle gehang het.

Sy het skielik na hom toe gedraai en haar kop op haar hand gestut. In sy volslae dronkenskap het hy toe eers agtergekom dat sy kaal is. Asof dit die plan was, het hy regop gesit, sy hemp oor sy kop getrek en uit sy broek gewriemel.

"Jy wil sjampanje hê," het sy met 'n heserige stem gesê. Stelling, nie 'n vraag nie.

"Ek het nie glase nie. Wag, ek sal gaan haal." Hy het probeer opstaan, maar sy het hom gekeer.

"Ons improviseer."

Sy het stadig haar bene oopgemaak. Tydsaam die foelie om die bottel se kop afgehaal, die draadjie losgewikkel, behendig die kurk uitgetrek. Vir hom die bottel teruggegee. Sy het agteroor geleun, gestut op haar elmboë en haar gesig na die nag gedraai.

"Drink nou."

Toe hy nie snap wat sy bedoel nie, het sy weer die bottel by hom gevat en dit stadig in haarself opgedruk, totdat sy 'n sagte snak gegee het. Die bottel se onderkant effens gelig. Dit weer uitgedraai. Die bottel aangegee.

"Drink." Sy was skaars hoorbaar.

Hy het op sy maag gaan lê, sy voorarms om haar bene gevou en die vonkelwynvloeistof wat in 'n dun straaltjie by haar uitgeloop het, met sy tong gevang. Daarná het hy en die bottel haar om die beurt genaai totdat die rooi lig van dagbreek en die geluid van stemme in die nabyheid hom uit sy besope ekstase geruk het.

VII

Malan kyk op sy horlosie. Klap sy skootrekenaar toe en staan op. Te hel met hierdie plek. Fluit blaas. Stap in. Fluit blaas. Stap uit. Fok dit. Hy stap nóú uit. Dis nog vroeg, maar hy gaan nou in die pad val na Dawid. Net eers iewers stop en 'n glas wyn drink. Wink sy joviale persoonlikheid met 'n koue Jordan-chardonnay nader. Diep in die maag van Stellenbosch, waar hy tot verhaal kan kom voor die ete. Fok weet hoekom hy ja gesê het, maar dis beter om daar mislik te voel as hier in die soutmyn. En hy vermoed hy is nie die enigste een wat Anna se dagboek gekry het nie. Hy moet hoor wat hulle sê. Wat hulle dink. Wat hulle wéét. Wat dit alles beteken. Hoekom nou?

Retha is gelukkig op die foon. Hy stap verby en beduie vaag in die rigting van die hysbakke. Sy glimlag en hou 'n duim in die lig. Demmit. Hy het nog nie vir haar blomme gestuur om op te maak vir Dinsdag se fiasko hier op kantoor nie. Maar hoe doen 'n mens dit? Retha doen al jare amper alles vir hom. Sy moet nog net sy gat afvee en dan doen sy regtig álles. Dit sal seker nie werk as hy vir haar sê om vir haarself blomme te bestel nie. Of dalk is dit beter as hy maak of Dinsdag nooit gebeur het nie.

By die hysbak druk hy ongeduldig die knoppie. Uiteindelik is daar 'n pieng en die deure gaan oop. 'n Lang man in 'n swart kunsleerbaadjie by 'n knopieshemp en jean, en met 'n amper outydse weglêkuif, kom uitgestap en sy oë rek toe hy hom skyn-baar herken.

"Malan Sinclair?"

Malan kyk na die man voor hom. Die roesbruin kuif trek jou aandag en hou dit. 'n Indrukwekkende goue ketting om sy nek, as dit die soort ding is waarvan jy hou. 'n Sigaretrookwolk hang om hom.

"Ja?"

"Stefaans Slabbert. Seepunt-polisie." Hy hou sy hand uit en Malan moet dit maar neem en skud.

"Wat kan ek vir jou doen?"

"Is daar iewers waar ons kan gesels? Privaat."

Malan kyk oor sy skouer. Stry teen die behoefte om sy kop vinnig heen en weer te skud. Enersyds wil hy van die gelui in sy ore ontslae raak en andersyds moet hy homself daarvan weerhou om 'n kleutertantrum te gooi. Wil nie nou praat nie, wil nie, wil nie, wil nie!

"Waaroor gaan dit?" Malan probeer om sy stem gelykmatig hou. Niks paniek laat blyk nie.

"Ek moet met jou gesels oor Anna Neethling. Soos jy seker weet, is sy as vermis aangemeld en ek verstaan hierdie was die laaste plek waar sy gesien is."

"Ek is nie seker hoe ek kan help nie? E ... miskien kan ons 'n tyd afspreek en dan gesels? Ek is eintlik op pad na 'n ander afspraak. In Stellenbosch. Middagete."

Slabbert kyk tydsaam op sy horlosie. Hy skud sy pols en die ketting wat daar hang, gly en klink teen sy baadjieknoop.

"As dit 'n middagete-afspraak is, is daar sekerlik nog tyd. Kan ons in jou kantoor gaan sit?"

Malan maak nog sy mond oop, toe stap die polisieman reeds by die groot swaaideure in. Retha is steeds op die telefoon en kyk verbaas na Malan se geselskap wat hom vooruitloop. Slabbert kom tot stilstand by Malan se kantoordeur. Hy kon klaarblyklik soos 'n goeie snuffelaar dadelik sien waar dit is. Hy staan terug, wag vir Malan om eerste in te stap.

"Sit gerus." Malan maak vinnig die deur toe en beduie na die besoekerstoel. Gaan sit agter sy lessenaar. Hier het hy immers 'n mate van 'n voordeel, al gaan dit net om strategiese plasing.

Slabbert haal 'n notaboek en pen uit sy baadjie se binnesak. Skuif agtertoe.

"Ek is bietjie van 'n tradisionele ou," sê hy en beduie na die notaboek. "Deesdae neem mense mos alles op hulle selfone of fancy iPads op. Ek hou nog van pen en papier."

Malan sê niks nie. Kyk net hoe Slabbert die boekie oopslaan. Iets lees, vinger lek, omblaai, skryf. Malan wonder of hy dit doen om hom te ontsenu. As daar stadig in 'n swart notaboek geskryf word eerder as om gewoon 'n opnemer of selfoon voor jou neer te plak, moet dit jou mos ongemakliker maak.

"So." Slabbert kyk op en glimlag. "Ek verneem Anna was hier gewees Dinsdagmiddag laat."

Malan sluk. Hy het geen idee hoe hy hierdie situasie moet speel nie. Aggressief? Nonchalant? Vaag? Bekommerd?

Vaag wen.

"Dinsdag of Woensdag," sê hy mymerend en druk met sy vinger teen sy ken. "Woensdag? Nee, ek dink jy is reg. Dinsdag. Woensdag was Wynand du Toit se boekbekendstelling en dit het rof gegaan hier. Ons sou nie kans gehad het om met haar te kon praat nie."

"Waarom was sy hier?"

"Weet jy, ek is self nie seker nie. Sy het maar die gewoonte om tydig en ontydig op te daag."

"Was dit die geval?"

"Was wat die geval?"

"Het sy net hier aangekom? Opgedaag? Tydig of ontydig?"

Malan sit terug en vou sy hande agter sy kop. Ry op sy stuitjie. Nonchalant.

"Ja, weet jy. Sy het hier aangekom – ek was tussen vergaderings – en wou oor haar nuwe boek praat, maar ek het nie tyd gehad nie."

Slabbert blaai terug in sy boekie.

"Ek het met 'n paar mense gesels—"

"Wie?" Onmiddellik wil Malan sy hand oor sy mond slaan. Sien niks. Hoor niks. Sê niks. Probleem is, hy hét alles gesien en gehoor.

Slabbert glimlag.

"Ag, jy weet hoe gaan dit met enige ondersoek. Ons gesels met soveel as moontlik mense." Blaai. Blaai. "Waar was ek? O, ja. Daar was glo 'n hewige woordewisseling tussen jou en Anna. Waaroor was die rusie?"

"Rusie?" Malan vou sy arms voor sy bors. "Ek sou dit nie 'n rusie noem nie. Soos ek gesê het, was ek tussen afsprake. Haastig. Sy het ingekom en gekla omdat haar manuskrip afgekeur is. Sy was ontsteld en ek het bloot aan haar verduidelik dat ons in hierdie ekonomiese klimaat die helfte soveel boeke as vroeër kan uitgee. Sy is hier weg. Nie baie gelukkig nie, maar watter skrywer sal wees as hulle manuskrip afgekeur is? Dis die laaste wat ek haar gesien het."

Die gegirts van die pen op die papier is oorverdowend.

"So, daar was nie 'n woordewisseling nie?" Slabbert kyk nie op nie.

"Woordewisseling? Een man se woordewisseling is 'n ander man se gesels. Nee, wat. Ek sou nou nie dít sê nie."

Slabbert kyk hom stip aan. Blaai weer deur sy boekie.

"Ding is, een van jou personeellede het gesê daar was 'n hewige rusie, julle het mekaar te lyf gegaan en jy het haar met die dood gedreig."

Malan knipper sy oë. Sluk. Skud sy kop. Probeer eintlik sy sintuie tot lewe roep, en wonder of dit nie lyk asof hy Slabbert se stelling te hard probeer ontken nie.

"Kyk, ek gaan nie vir jou jok nie. Anna is moeilik. Baie moeilik. En as sy ontsteld is, dan vlieg die hare. Ek moes vir haar sê haar boek gaan nie uitgegee word nie. Haar redakteur het dit vir haar gesê, maar sy wou hom nie glo nie. Soos ek gesê het, vir enige skrywer is dit 'n slag, maar Anna se hele identiteit is gebou rondom haar skrywerskap. Natuurlik gaan sy dan hewig reageer." Malan druk sy hande onder die lessenaar se blad in sodat die polisieman nie kan sien hoe hulle bewe nie.

"So, julle het mekaar nie te lyf gegaan nie en jy het haar nie met die dood gedreig nie?"

"Ag, ek dink Anna het dalk 'n boek rondgegooi of iets dramaties."

"Dit beantwoord nie my vraag nie."

"Dit klink bietjie vergesog."

"My vraag?"

Malan verskuif effens op sy stoel.

"Nee, dié dat daar 'n gedreig was en so aan."

"Op watter punt is sy toe weg?"

"Man, as ek reg kan onthou, was dit net na haar uitbarsting. Sommer skielik weg, net uitgestorm. Maar soos ek gesê het, ek was tussen vergaderings en dinge was dol en so aan."

Slabbert se pen beweeg reëlmatig, sistematies oor die papier.

"En so aan …" mymer hy. "Waar was jou volgende vergadering?"

Malan probeer sy hande onder die lessenaar aan sy broekspype afvee. Hierdie ondervraging – of eerder loutering gaan op 'n stadium eindig. Hy moet net uithou en normaal optree. Maar as die man hier oorkant hom nog nie oortuig is van sy skuld nie, gaan hy beslis wees as hy moet sien hoe sweet sy palms en bewe sy hele lyf.

"Ekskuus?" vra hy om tyd te wen.

Slabbert kyk op.

"Ek vra waar was jou volgende vergadering – die een ná jou … onderonsie met Anna." Slabbert laat rus sy elmboog op die armleuning, hand omhoog. Vleg die pen tussen sy vingers deur. Op en af.

"Laat ek sien ..." Malan trek die naaste boek nader. Stoot dit weg. Grawe. Skuif weg. Hy kry nie gedink nie.

"Was jou vergadering hier of elders?"

"Nee, elders." Malan pak 'n stapel papiere weg. Maak nie oogkontak nie. "Skuus, ek soek net gou my dagboek." Hy kry dit uiteindelik. Maak dit oop. Blaai vorentoe en agtertoe.

"Sal jou sekretaresse nie weet nie?"

Malan kyk op.

"Nee, nie altyd nie. Wag ... Ag, ja. Natuurlik. Ek moes 'n skrywer gaan sien. Dit is hoekom ek dit nie neergeskryf het nie."

"Watter skrywer?" Slabbert sit reg met sy pen.

"Weet jy, ek kan ongelukkig nie sê nie. Dit is 'n skrywer wat wil oorloop van een van die groot uitgewers. Hy is baie versigtig, want natuurlik is hy al 'n voorskot betaal en is kontraktueel nog aan hulle verbind." Malan leun terug. Hande op sy aansienlike maag. Onderdruk 'n glimlag, ingenome met sy verduideliking. Vryf-vryf aan sy ken.

"Waar het julle vergader?"

"Ag, sommer in 'n donker hoekie in Langstraat. Kan nie die plek se naam onthou nie. Nie my keuse nie, maar hierdie skrywer hou van eksotiese skoonhede uit midde-Afrika, goedkoop drank en Bob Marley. En anonimiteit. Daardie kombinasie kry jy net in Langstraat."

"Klink vir my alles 'n bietjie té eksoties. Niks wat ons agter die boereworsgordyn kry nie," sê Slabbert en blaai hom. Hy glimlag gemoedelik.

Malan voel hoe sy selfvertroue 'n hertoetrede maak. Vir die eerste keer in hoe lank. Lank voor Dinsdag, tussen sy verlammende gesinslewe en 'n skoonpa wat voortdurend op sy keel trap, het hy gevoel hoe sy selfvertroue by sy porieë uitsypel. Fok dit. Hy is die een wat kon stront praat en dit laat klink of dit die Opperwese self is wat tot die gesprek toegetree het. Hy is die een wat soos 'n wafferse Mohammed Ali enige uitklophoue van die waarheid kon ontduik. Die een wat agendas kon saamstel waarop Machiavelli jaloers sou wees. Wat mense doodeenvoudig 'n rat voor die oë kon draai. Dis hoe hy gekom het waar hy is en as daar ooit 'n goeie tyd was om weer sy ou self te word, is dit nou. Nóú.

"Goed." Slabbert huiwer vir 'n oomblik en maak dan sy notaboek toe. Bêre sy pen in sy binnesak en glimlag. "Dankie, meneer Sinclair. Vir eers is dit al. Ons gesels weer binnekort. Ek sal dit waardeer as u beskikbaar sal wees op u selfoon."

Malan sukkel uit sy stoel. Die skielike opvlamming van bravade taan net so skielik. Weer gesels? Hoekom weer gesels? Hoe het die man sy selfoonnommer in die hande gekry? Maar dit was seker nie te moeilik nie. Wat is daar egter nog om te sê, as dit net gaan oor Anna se verdwyning? Weet die man iets wat hy nog nie wil noem nie?

Slabbert stap voor Malan uit. By die groot glasdeure draai hy om en steek sy hand uit. Druk Malan s'n hard.

"Nogmaals dankie. Ons praat later."

Malan kyk hoe die vaal polisieman hysbakke toe stap. Sy hand is gevoelig. Hy draai om en sien hoe Retha fronsend na hom kyk.

"Wat wou die polisieman weet?" vra sy.

Malan se oë vernou.

"Hoe weet jy dit was 'n polisieman?"

Malan vermoed dat hy te sterk gereageer het.

Retha vermy oogkontak en beduie met 'n gelnaelhand in die lug.

"Ag, hy was mos hier."

"Wanneer?"

"Vanoggend. Vroegerig. Wel, voor jy op kantoor was."

"Met wie het hy gepraat? Waaroor wou hy praat?" Malan besef sy stem klim 'n leer teen 'n stink spoed. Hy wil hom inhou, maar die noodsaaklikheid daarvan om uit te vind wat Stefaans Slabbert weet, maak dit onmoontlik.

"E, ek is mos vroeg hier, so hy het met my gesels. En toe is hy hier weg om te kyk of hy met Johnny Fortuin kan praat."

"Wie's Johnny Fortuin?"

"Ons bode. Wel, eintlik die tiende verdieping se bode, maar hy help mos by ons sedert die afleggings."

Fok. Ja. Die bode van die tiende verdieping. Die een wat langs Elaine gestaan het en 'n voorrykaartjie vir die Malan-dreig-Anna-met-die-dood-vertoning gehad het.

"Ek hoop nie ek het iets verkeerd gedoen nie?" vra Retha en lyk angstig.

Malan wil oor haar lessenaar leun en haar aan haar skouers vat en skud. Hoekom is sy so donners pateties? Natuurlik het sy iets verkeerd gedoen. Hy lyk nou so skuldig as kan kom.

VIII

Lloyd staan in Anna se sitkamer. Hy speel met die hartjiesleutelhouer. Sy het vir hom 'n stel gegee vir ingeval. Ingeval ... Dit is nou ingeval. Hy staan lank bewegingloos. Neem alles om hom in. Foto's teen die mure en in klein raampies op tafeltjies en kassies. Rakke vol boeke en DVD's. Klein memento's van haar reise. Kinderlik amper. 'n Monchichi uit Japan. 'n Barbapapa uit Frankryk. 'n Marionet van die Tsjeggiese Republiek. 'n Stuk van die Berlynse muur.

'n Staanhorlosie se gebeier kry hom weer aan die beweeg. Hy stap deur die sitkamer, die gang af na haar slaapkamer. Ook hier is 'n sweempie van sentimentaliteit te bespeur. Pienk blompatrone op die beddegoed en gordyne. Teen 'n aansteekbord bokant 'n wastafeltjie is verjaarsdagkaartjies, 'n pienk strikkie, karnavalmasker, 'n prentjie van 'n imposante kasteel, 'n foto van haar en Adam, 'n toegangskaartjie na 'n museum in Athene, 'n spyskaart van die Shortmarket Club. Op die tafeltjie bottels parfuum, grimering, lipstiffies sonder doppies en tissues met lipstiffiemerke. 'n Oorbel sonder maat en 'n uitgedrukte e-pos. Hy tel dit op en lees: *Ouer-onderwyservergadering*. Die dag en datum is met rooi omkring. Woensdag. Eergister.

Lloyd gaan sit op haar bed met die e-pos. Sy regterhand begin jeuk. Hy krap aan 'n reusesproet wat hom pla.

Dit maak nie sin nie.

As Anna van plan was om Woensdag na daardie skoolvergadering te gaan, sou sy nie hierdie week vir haar groot verdwyning gekies het nie. Die een wat sy so lank reeds beplan nie.

En hoewel hulle jare gelede al daaroor gepraat het, sou sy hom tog laat weet het dis nou die tyd? Dit dalk nie uitgespel het nie, maar tog. Want dit was die ooreenkoms wat hulle aangegaan het daardie aand in Churchhaven.

Hy staan op en lig die karnavalmasker. Haal die sleutel aan die agterkant uit. Stap na haar bedkassie. Maar steek vas. Hy ken Anna al amper vyftien jaar. As sy hier was, was dit nie 'n probleem nie. Maar om nou deur haar goed te gaan, voel vreemd. Verkeerd. Hy moet egter sy deel van die ooreenkoms nakom. Sy sê niks van die verligting nie en hy bestuur haar groot plan en geheime. Die verligting wat haar verdwyning gaan bring.

Lloyd steek die sleutel in die slot van die bedkassie se laai en trek dit 'n entjie oop. Leeg. Verbasend leeg. Net twee penne in die een hoek rol na die ander kant toe soos hy die laai heeltemal ooptrek. Niks nie. Hy stoot dit weer toe. Kyk in die rakkie onder die laai en vind niks. Lig die duvet en kussings op, met dieselfde resultaat. Gaan op sy knieë en loer onder haar bed. Niks.

Hy staan op en kyk besluiteloos rond. Anna is obsessief daaroor. Haar dagboek móét in haar laai of in haar handsak wees – na gelang van waar sy haar bevind. Daarvoor sorg sy.

As sy én die dagboeke weg is ...

Hy trek die groot bedkassie van die muur af weg en stoei om dit onderstebo te draai. Hy buk en haal die laai uit. Steek sy hand by die opening in en druk teen die agterkant, wat met 'n gesukkel loskom. Die laaste twintig jaar se dagboeke is chronologies in die geheime stoorruimtetjie gestapel. Met sy vinger tel hy deur die jare. Almal is daar behalwe een. Vyftien jaar gelede s'n.

Lloyd gaan sit weer op die bed en vou sy arms oor sy kop. Dít was nie deel van die plan nie. Dit was glad nie deel van die plan nie. Hy grawe die wit botteltjie uit sy baadjiesak. Byt die deksel vas om dit te kan afkry. Skud 'n paar pille op sy tong uit. Sluk dit so droog. Nie deel van die plan nie.

IX

"Lees dit weer." Elizabeth se oë is toe.

"Nee, ek dink dit was nou genoeg. As jy dit laaik, sal ek nog gedigte skryf op daardie trant. Voel amazing om weer te skryf. Wil jy nog 'n trek hê?" vra Trevor.

"Jip."

Elizabeth rol om op haar maag en hou haar hand uit. Sy vat die sigaret by hom en trek die rook diep in. Blaas dit stadig uit en bekyk hom deur die waas.

"Jy lyk mooi," sê sy en gee die sigaret terug.

"Jy is mooi." Hy klim af van die mankolieke kombuistafel-tjie waarop hy gesit het en gaan lê langs haar. Hy vee 'n lang, blonde sliert agter haar oor in. Sy vingers talm daar, maar dan wriemel sy onder sy hande uit.

"Moenie." Sy draai haar kop in die rondte en laat haar hare oor haar ander skouer val. Skuif 'n bietjie weg van hom.

"Het jy nog nie gas gekry van jou ma-hulle omdat jy nog nie dié week skool toe is nie?"

Elizabeth lag en neem weer die sigaret. Kyk lank na hom. Stip. Intens. Net voor ongemaklikheid kan intree, sê sy: "Nee, wat. Een, ek het 'n gemiddeld van vyf-en-negentig persent. Dit maak my untouchable. Twee, my broer het 'n kat se stert probeer afsny, so hy is nou amptelik die mees fucked-up Sinclair. Stywe kompetisie gehad van die sperm donor, maar ek dink hy wen. Een derde psigopaat. Hy moet nog net weer begin om sy bed nat te maak en iets aan die brand steek, dan sit ons met ons eie klein psycho."

"Fokkit." Hy kom orent en gaan skakel die ketel aan.

Elizabeth sluk. Wanneer het dinge skeefgeloop? Dit het beslis nie Dinsdag begin nie. Lank voor dit. Dalk selfs voor … voor háár al. Wanneer het haar ma se lewe om haar silwerpildosie begin draai? En wanneer het haar pa hierdie … halfmens geword? Hy is daar, maar hy is ook nie. Lank voor Dinsdag. Daar was tog 'n tyd toe dinge anders was. Hulle was selfs gelukkig, al het Oupa nog altyd oor almal se skouers geloer. Hulle het gaan pieknieks hou in De Waalpark en haar pa het vir hulle die coolste boeke van die boekskoue af saamgebring. Haar ma was die een wat legendariese partytjies gehou het en die beste skoolkos ingepak het. Sy weet haar pa het affairs gehad – haar ma ook – maar wanneer het iemand met 'n sledgehammer teen die mure begin slaan? As dit nie vir Oupa was nie, het hulle seker al teen hierdie tyd op 'n rommelhoop gesit.

"El?" Trevor moet haar naam herhaal voor sy na hom toe draai. "Wat het hierdie week gebeur? Jy's … jy's anders."

"Jy weet mos. Alles het hierdie week gebeur."

Sy lig haarself op en loop tot by hom. Vou haar hande om sy lyf en druk hom styf teen haar vas. Hulle bly so staan, koppe teenmekaar.

"Het dit iets te doen met die polisie wat ek moes bel en al daardie copies wat ons …"

"Sjuut, Trev. Soms moet 'n mens die oomblik bepaal. Nie andersom nie."

X

Sebastiaan mis amper weer 'n afdraai. Hy draai te kort en beland net-net nie heeltemal in die wingerd nie. Sy gesig vertrek toe dit 'n onheilspellende geskraap onder sy motor kos om van die klein slootjie af oor die walletjie tot op die grondpad te kom. Hy skakel oor na 'n laer rat en probeer konsentreer om op die verslete grondpad te bly.

"Fok tog, Dawid. Stingy bastard. Bou 'n behoorlike pad!" Hy slaan met sy handpalm op die stuurwiel. "Hoekom moet ons altyd na hom opruk? Hoekom klim hy nie vir 'n slag in sy skaapplaas-Land Cruiser en ry stad toe nie? Suinige poephol."

"Wat nou?" vra Christina slaperig langs hom.

"Hierdie pad na sy plaas is vodde. Elke liewe keer wat ek hier kom, maak dit my befok en dryf dit my na ontroue gedagtes oor 'n nuwe ryding. Iets wat hierdie paaie en slote en wingerde kan opvreet en nie andersom nie. Ons kom nie weer met my kar nie."

"Dit is net 'n kar, man," sug Christina. "Jy sê dit elke keer en daarna dring jy maar weer daarop aan om met jou kar te kom. En dit reën immers nie. Dan is die pad in sy moer."

Dit is nie vir Sebastiaan net 'n kar nie. Dit is 'n verlenging van homself en hier lê herinneringe opgesluit wat in die leersitplekke vasgevang is, die outydse kasset in die retro-kassetspeler, die lipstiffiemerk skuins bokant sy kop langs die sondak; die paneelkissie waar strokies lê van onvergeetlike aande, 'n leë botteltjie sonskerm wat al amper ses jaar onder die passasiersitplek lê en 'n loom middag op Sandy Bay herroep.

173

"Volgende keer bly sy net mooi in my garage. Sy gaan nêrens nie."

"Sies vir jou. Hoe moet Hildegard voel?" vra Christina en vryf liefderik oor die houtpaneelbord van sy motor.

"Dis juis die punt. Ek neuk my baby op. Daar't nou iets onder die kar geskraap. As sy moet seerkry, bliksem ek vir Dawid en gaan sit dan in sy pinotage-wingerd en huil."

"Oor die kar?" lag sy.

"Ja, dit en die kak pinotage wat hy maak."

Christina lag. "Hemel, maar jy is opgewerk. Haal diep asem. Ek sê weer: Dis net 'n kar."

"Net 'n kar? Ek sê weer: Dis nie snaaks nie. Sy ís my baby. Jy tel nie 'n '71 Merc w113 in Bellville se hoofstraat op nie. Ek moes my moer los soek, 'n nier verkoop, en dan het sy die hele tyd aandag nodig. Meer aandag nog as 'n afgetrede aktrise."

"Afgeloopte?"

"Nog beter." Hy draai na Christina. "Hoe voel jy?"

"Beter. Aansienlik beter. Prinslik van jou om die ompad te gery het sodat ek nog van my roes kon afslaap."

"Enigiets vir jou."

Sebastiaan ry stadig – veel stadiger as gewoonlik – aan plaas toe. Dawid is een van daardie boere wat 'n waan van misterie en eksklusiwiteit wil voorhou, maar sy liefde vir die media en kompetisieplakkers op sy wyne negeer eintlik daardie klaarblyklike behoefte of voorgee. Daar is slegs 'n verbleikte, piepklein bordjie met 'n byna afgeskilferde naam in swart net as jy van die grootpad afdraai. Buitezicht. Vandaar moet iemand voor jou ry of jy moes al so baie hier gekom het dat jy die pad ken. Maar as jy by die ingang kom, ruim die enorme pilare met *Buitezicht* groot en swierig daarop aangebring enige illusie van nederigheid uit die weg.

Buitezicht. Sy kennis van Nederlands is beperk tot die klasse in sy tweede jaar, by 'n dosent wat soms vergeet het om sy motorfietsvalhelm af te haal as hy begin klasgee. En van tyd tot tyd op die tafel geklim het om die Nederlandse volkslied te sing. Vermaaklik, maar nie juis veel meer nie. Bietjie soos Dawid. Of die naam wel goeie Nederlands is, kon Google hom nie sê nie. Ook nie sy Nederlandse of Vlaamse literêre agente nie. Dalk is dit, dalk is dit nie. Dalk weet die een of ander pedantiese taalpuris.

Dit is ruig en as dit nie was vir die wingerdblokke wat 'n blaaskansblik op 'n groter geheel gegee het nie, sou dit maklik kon voel asof die ruigtes jou verswelg. Tyd weghou. Jou kan omskep in 'n Nina-die-Boskind. Die wingerde is nie so geil soos vorige jare nie. Tussendeur steek die onmiskenbaar koorsrooi blare van wingerdrot uit. As Dawid nie nou dit uittrek nie, gaan die verrotting tot op sy stoep loop. Die verrotting wat eintlik reeds onderdeur die huis wortel geskiet het.

"Donner. Watse gesigte trek jy?" vra Christina. Sy hou 'n maskarastokkie in haar een hand wat in die lug hang.

"Wat bedoel jy?"

"Jy lyk soos 'n gargoyle."

"Dis fokken nice."

Sy draai die truspieëltjie.

"Kyk daar!"

"Christina! Los uit my kar!"

Sy hou 'n hand paaiend in die lug.

"Jy is verskriklik opgewerk. Ontspan nou net?"

"Skuus," mompel Sebastiaan. Sy is reg. Hy het moerig opgestaan en met elke kilometer wat hy gery het, het sy bui suurder geword. Gewoonlik is dit andersom. Hy klim juis in sy motor en vat die pad om te ontspan, ontlaai, ontlont. Harde musiek. Led Zeppelin, Stones, enigiets van Roger Waters. Hard en retro. 'n Tyd om net te kan wéés. Outomaties te handel.

Hy draai in na die plaashuis toe en parkeer langs Dawid se Land Cruiser. Hulle is duidelik eerste, want daar is nog nie ander motors nie. 'n Boerboel kom lui aangedraf en ruik aan die agterband by Sebastiaan se kant. Hy maak die deur oop.

"Hei! Toe, weg is jy!"

Die hond kyk hom vir 'n oomblik aan en draf weer weg.

Sebastiaan hurk bekommerd en kyk onder die motor.

"Sien jy iets?" vra Christina.

"Nee ..." Hy stap om en buk by die voorste linkerkantse wieldop. Lek sy vinger nat. Vee, vee.

"Nee, maggies. Nou is jy te erg. Kom." Christina trek hom aan sy arm.

Sebastiaan laat hom weglei. Hy wil amper wens daar was iets verkeerd met die motor sodat hy kon ontplof, sy moer heeltemal strip, ontslae raak van sy witwarm woede en paniek oor die dae wat so wegrol voor die gesag van Die Datum. Iemand blameer (Dawid) oor iets wat in werklikheid onbelangrik is (die plaaspad) en abnormaal fikseer op dit wat nou die naaste aan hom is (sy motor). Naas sy kat, natuurlik. Maar dié verkies ook om in die Merc te slaap. Lisbeth het duur smaak.

"Hoor jy wat ek sê?"

Sebastiaan skud sy kop. Hy wil nie soseer vir haar sê hy het nie geluister nie; eerder 'n manier om sy kop skoon te kry. Gedagtes reg te skud. Want vandag gaan hy moet fokus.

Die enorme houtvoordeur swaai oop en Dawid kom met uitgestrekte arms na hulle toe aangestap. Rooi hare deurmekaar. Stoppelbaard. Kakiehemp en -broek. Stewels. Niks van vandag se uitrusting sou by die Agrimark gekry gewees het nie. As jy mooi kyk, sal 'n duur Franse handelsmerk byvoorbeeld net onderkant sy agterste kraag geborduur sit. Hy is die toonbeeld van gulheid en met die boerboel wat vir goeie inkleding nou langs hom draf, herinner die toneel Sebastiaan aan 'n outydse wynlandgoedadvertensie. Daardies op TV met 'n minuet van Mozart op die agtergrond. Jy is so begeester en hunker so oombliklik na dié land van wyn en sofistikasie, dat jy summier jou vakansieplanne na die Natalse kus kanselleer en Kaap toe skiet. Net om agter te kom die see is onswembaar koud en die gasvryheid is so warm soos die water.

"Christina! Basjan!"

Sebastiaan se hande krul in spasmas van woede. Hy haat dit as iemand hom Basjan noem. Háát dit. Hy verdra dit slegs van Stefaans, maar hy vermoed deesdae ook nie meer nie. Troetelname is vir troeteldiere.

"Dawid," groet Sebastiaan en steek sy hand uit, maar Dawid druk hom vas en klop hom op sy rug.

"Lekker, man, lekker. Nou gaan ons kuier, hoor! Behoorlik bottie vat! Kom in. Jammer dat ek voor stap. Ons ander vriende is almal sterk op pad, maar dit keer ons nie om solank 'n ou ietsie te drink nie."

Dawid stap voor hulle en beduie na die enorme stoep wat uit die sitkamer op linkerkant loop. Op pad daarheen gooi Christina haar handsak op een van die rusbanke.

"Gaan maak julle tuis. Ek gaan haal solank vir ons 'n fles."

Sy sak neer op een van die tuinstoele en sug behaaglik.

"Kyk net die uitsig. Hoeveel jaar kom ons nie nou al hierheen nie? Ek kan nie gewoond raak aan hierdie uitsig nie. Of die omgewing nie. Ag, weet jy? Sommer sy hele blerrie plaas. Gelukkige donner."

Sebastiaan leun met sy skouer teen een van die pilare. Christina is reg. Dit is verbysterend mooi. Dawid se historiese opstal is slim gebou, sodat feitlik elke vertrek 'n uitsig op die vallei het. Die stoep wat Dawid 'n paar jaar gelede verleng en opgeknap het, loop soos 'n goue draad parallel met die hoofhuis. 'n Prieel loop teen die lengte van die dak af. Jasmyn is met die dikstamwingerd verweef. Die kelder is net-net buite jou vista van honderd-en-tagtig grade. Dit skep die illusie dat die stoep 'n eiland is waar die daaglikse komplikasies van 'n boerdery geen plek het nie. Dis slegs jy en alles wat mooi is. En "mooi" sluit vanselfsprekend die mees dekadente, diepste graad van hedonisme in. Dis seker daarom dat hy weer hier is. Vir die ruimte sonder grense. Vir geselskap wat net so min grense ken. En dan, onvermydelik, vir gebeure wat grensoorskrydend is.

Skielik voel dit vir Sebastiaan of sy keel toetrek. Of 'n Maine Coon op sy bors kom sit het. Iemand druk sy neus toe en hou hulle hande oor sy mond. Nou – hy moet nou hier wegkom. Dit was 'n enorme fout om te kom. Veral om nou te kom. Hierdie week.

"Christina!"

Sy hoor hom nie. Sy het 'n entjie weggestap en staan en tuur oor die Stellenboschvallei met 'n hand soos 'n afdakkie teen haar voorkop.

"Christina!"

"En nou?" Dawid kom ingestap met 'n bottel vonkelwyn en drie glase wat hy onderstebo aan hulle stele dra.

"Ek dink ek moet gaan. Dit was dalk nie 'n goeie idee om te kom nie." Sebastiaan voel aan sy broeksakke. Kyk rond. Waar is sy sleutels?

Dawid sê niks nie. Sit rustig die bottel en glase op die tafel neer. Dop die glase om. Trek die foeliedraadjie om die bottel se nek af. Skil die dop af. Wikkel die draadhokkie los. Vat die nek vas en gee die bottel 'n stewige draai. Die klein knal word in Dawid se enorme hand gesmoor. Hy maak 'n glas vol en gee dit vir Sebastiaan aan. Maak die ander twee glase ook vol, neem een en gaan sit.

"Voordat jy vandag – jy of enigiemand anders – hier wegry, sal daar eers gepraat moet word."

"Waaroor?"

"Die dagboek."

"Watter dagboek?"

"Anna s'n."

"Wat daarvan?"

"Jy weet."

"Moenie so donners kripties wees nie, Dawid. Wat van haar dagboeke?"

Dawid kyk hom lank aan voordat hy antwoord.

"Jy weet regtig nie?" Die vraag klink meer soos 'n stelling. "Dan sal jy weldra uitvind, Sebastiaan."

XI

Stefaans stap by die mediagebou uit en kyk op sy horlosie. Die onderhoude het langer geneem as wat hy gedink het dit sou, maar dit was die moeite werd. Hy is nie seker hoe en óf dit hom kan help om Anna Neethling te kry nie, maar hy het wel 'n geheelbeeld van haar begin vorm. En dis 'n baie donker beeld wat in sy kop gestalte kry.

Hy stap in Buitengrachtstraat af na 'n koffiewinkel om die hoek waar 'n man nog 'n swart koffie en Camel Filter kan geniet sonder dat iemand groen sap en gesonde longe aan hom wil afsmeer. Pop is so lief vir haar smoothies, maar dit proe vir hom soos vrugte wat af is wat jy met jogurt gemeng het. Maar dit is sy Pop vir jou.

Die wind het opgetel en die lug is besig om donker te word. Hy gaan sit by een van die tafeltjies buite. Geruite rooi-en-wit plastiektafeldoeke. Hy leun met sy arms op die tafel, voel hoe die plastiek aan sy baadjie se moue klou en kyk deur die oop deur na die spyskaart teen die muur bokant die toonbank. Een van daardie Coke-swartborde met die specials van die dag. Geroosterde toebroodjies. Gatsbys. Vetkoeke met mince of konfyt. Samoosas.

Stefaans bestel 'n koffie en toe die kelnerin dit bring, nie van die warmste nie, haal hy sy pakkie sigarette uit. Zippo-aansteker. Steek die eerste sigaret tydsaam aan. Hy blaas die rook uit deur sy neus. Hy slaan sy notaboek oop en kyk na wat hy geskryf het.

Johnny Fortuin – Bode 10e verd.
Was by B&B (13e verd.) om pakkie af te gee. Manuskrip vir
kookbk red.
± 11:30
Staan by sekr. (Retha Visagie).
Nog 'n vrou by die sekr. (Elaine Sinclair)
Donkerkopvrou by Malan Sinclair.
Hoor 'n fight deur halftoe deur.
Malan stamp vrou uit kantoor. Skree "Ek gaan jou vrek-
maak." Nie seker van presiese woorde. "Vrek" wel in sin.
Vrou hardloop by kantoor uit. MS probeer met ander vrou praat.
Hy gaan terug na sy kantoor.

Stefaans neem 'n sluk van die koffie wat in rekordtyd afgekoel
het tot 'n graad bokant 'n koue bier. Maak nietemin die koppie
leeg. Blaai om.

Retha Visagie – Sekr. v. MS
Anna Neethling daag by kantoor op. Sonder afspraak. Loop by
MS se kantoor in.
Deur toe – kan niks hoor nie.
Albei kom uit. AN histeries "soos gewoonlik". Skree op mekaar.
Kan nie mooi hoor wat gesê is nie. AN hardloop uit.
Johnny Fortuin & ES teenwoordig.
MS terug na kantoor.

Stefaans steek nog 'n sigaret aan. Dit gebeur selde dat twee
ooggetuieverslae so na aan mekaar is. Die bode s'n klink meer
akkuraat, maar die gebeure wat hy en die sekretaresse weer-
gegee het, is basies dieselfde. Die enigste verskil is dat die se-
kretaresse se weergawe vaer was. Heel waarskynlik om Malan
Sinclair te beskerm. Sy lyk soos 'n verliefde skoolmeisie as sy
van hom praat. Moeilik om dit te mis. Hy blaai weer om.

181

Johan Roos – AN se redakt.
RV bel & sê AN is hier.
Hy tik gou e-pos klaar & gaan na MS.
AN reeds weg. MS vat goed en loop. Sê nie waarheen nie.

"Dis nou fokken interessant," sê Stefaans en druk die sigaret dood.

Roos is die enigste een wat genoem het dat Malan net na Anna weg is. Het hulle mekaar weer gesien? Iewers saam gaan sit en die saak uitgepraat of verder baklei? Mekaar getakel in die parkade? Hier is 'n oorverdowende stilte oor die presiese gebeure. Sulke vrae oor die uiteinde van die gebeure, as dit inderdaad nie daar op kantoor gestop het nie, moet antwoorde kry. Stefaans blaai om na 'n skoon bladsy. Skryf neer:

Vrae aan MS
1. *Waarheen is jy nadat Anna weg is?*
2. *Wanneer het jy weer op kantoor gekom?*

Vrae aan RV
1. *Wanneer is MS weg?*
2. *Hoe laat het hy teruggekom?*
3. *Hoekom was Elaine daar?*

Stefaans haal sy selfoon uit en gaan deur sy oproepgeskiedenis. Kry die nommer wat hy soek. Druk die groen knoppie. Wag 'n oomblik.

"Blakemore en Blakemore, goeiemôre," antwoord 'n hipervriendelike stem.

"Retha Visagie?" maak hy seker.

"Dis reg. Met wie praat ek?"

"Stefaans Slabbert van die Seepunt-polisiestasie. Ek was 'n rukkie gelede weer by julle gewees."

Stilte.

"Ja? Hoe kan ek help?"

"Ek het gou nog 'n paar vrae."

"E … dis nie regtig nou 'n goeie tyd nie. Ek—"

"Sal nie lank neem nie."

"Ek dink ek het alles vertel wat ek kan onthou."

"Net nog 'n paar vrae."

"Oukei."

"Wanneer is Malan Dinsdag weg?"

"Ek verstaan nie?"

"Wanneer het hy die kantoor verlaat? Ek verstaan hy is vroeg daar weg."

Weer 'n uitgerekte stilte.

"Dis moeilik om te sê. Dit het nogal dol gegaan en daar koek altyd mense om my lessenaar, so ek sal nie presies kan sê nie."

"Maar hy sal seker vir sy PA sê as hy uitgaan?" Stefaans speel met sy sigaretboksie. Druk die selfoon met sy skouer teen sy oor vas sodat hy nog 'n sigaret kan uithaal en aansteek.

"Nie altyd nie. Soos ek gesê het, dit het dol gegaan en daar's altyd mense om my lessenaar sodat ek nie kan sien wie in of uitgaan nie." Retha klink minder huiwerig. Kruip seker in haar geestesoog agter daardie skare weg.

"Goed. Wanneer het hy teruggekom? Hy moes seker vir jou gesê het toe hy terug is. Mense bel en wil met hom praat. Jy sal mos moet weet of jy hulle kan deurskakel of nie? Het hy nie afsprake gehad nie?"

"Ja, sy skoonpa, meneer Basson, het hom gesoek, maar hy maak nooit 'n afspraak nie. En sy kinders was ook vir 'n rukkie hier gewees."

"Sy kinders?" Stefaans se pen hang in die lug.

"Elizabeth en Ben. Hulle het vir hom gewag in sy kantoor."

"Maar hy het nie opgedaag nie."

'Nee, ek weet nie. Hy't mos nie teruggekom nie." En dan

vinnig: "Ek bedoel, hy was mos uit gewees, so hy is nie dadelik terug nie. Maar hy was op 'n stadium terug. Natuurlik. Hoekom sou hy nie terugkom nie?"

Stefaans lig sy wenkbroue en skryf in sy notaboek. Wink die kelnerin nader. Bestel nog 'n koffie.

"Jy besef jy maak nie baie sin nie? Wanneer is hy nou terug?" vra hy weer. "Jy is sy PA. Ek kan dit skaars glo dat hy 'n halwe dag kan verdwyn en jy het geen idee wat van hom geword het nie."

"Ek … ek is regtig nie seker nie."

"Was dit omdat hy teruggekom het nadat jy huis toe is?"

Dit is weer stil en Stefaans kan hoor hoe sy paniekerig asemhaal.

"Ek dink so. Ek weet nie. Ek is nie seker nie. Soos ek gesê het, daar was—"

"Hordes mense om jou lessenaar. Ja, jy het gesê."

XII

Elizabeth vat haar broer aan sy ken vas sodat hy na haar moet kyk.

"Jy beter nou begin fokus en hou by die plan." Om die erns van die saak verder te beklemtoon, druk sy met haar naels in sy vel in.

"Eina! Jy maak my seer. Los my uit," sê Ben en probeer loswriemel. Hy kyk na die mense om hulle, maar niemand stel belang nie. Hulle sit in 'n koffiekroeg in 'n stegie naby Groentemarkplein waar die klante meer besorgd is oor hulle onwettige status en die onluste in hulle geboortelande as oor twee jong mense in 'n woordewisseling.

"Ek is ernstig. Jy besef nie watse kak jy aangejaag het nie. Ek praat nie net van ... Hierdie storie met die kat. Is jy mal? Ek het vir jou gesê, hou 'n lae profiel."

Ben skud sy kop en kom los uit haar greep.

"Dit was vóór alles. Dis hoekom ek anyway daar was. Jy het nie eens die hele storie gehoor nie."

"Ek weet nie of ek moet nie. Of ek lus is nie. Maar dit kan nie anders nie. Ek sê weer: Ek kan jou nie beskerm as jy nie vir my alles, en ek bedoel álles, vertel nie. As hierdie ding ontplof, is jy nie die enigste een wat moer toe geskiet gaan word nie. En gee vir my wat jy het." Sy hou daar hand uit.

"Ek het dit nie hier nie." Ben speel met die aangepakte suikerlepeltjie in die potjie voor hom.

"Moenie lieg nie. Gee dit hier."

"Ek sê mos, ek het dit nie hier nie."

Elizabeth sit haar hande plat op die tafel neer en kyk haar broer stip in die oë.

"Luister nou mooi na my. Ek staan tussen jou en die res van jou lewe. Jy gaan van nou af presies doen wat ek vir jou sê. Presies. Anders gaan jy in 'n baie diep put val en nooit weer daar uitkom nie. En jy gaan my saam met jou na onder trek."

"Whatever." Hy vou sy arms voor sy bors.

"Nie. Whatever. Nie." Elizabeth praat afgemete. "Ons familie is stukkend. Stukkend. Gebreek. Was nog altyd. Voor háár ... Voor alles. Ek probeer dinge bymekaar hou sodat ek en jy kan fokkof. Ons is in die kak omdat jy jou backpack vol van sy goed geprop het en toe ... Die res van die stront wat jy by die skool aangejaag het, kon ons nog manage, maar soos jy nou aangaan, gaan jý – nie ek nie – op straat sit of in die fokken tronk. Is dit wat jy wil hê?" Toe hy nie antwoord nie, gryp sy hom aan sy pols. "Ek vra, is dit wat jy wil hê?"

Ben skud sy kop. Hy buk en grawe in sy rugsak. Haal 'n plastieksak uit en gee dit vir sy suster aan.

Sy vat dit en sit dit op die tafel neer. Trek die sak oop en kyk in. Die instapkaart lê bo.

XIII

"En as julle so depro lyk?" Christina neem 'n glas vonkelwyn en gaan sit oorkant Sebastiaan en Dawid.

"Ag, mense vat mos 'n tydjie om te akklimatiseer as hulle hier aankom. Skud daai stadstof af en raak rustig. Kry perspektief. 'n Tipe van 'n nugterheid, soberheid, helderheid. Of hoe, Basjan?" Dawid maak sy glas leeg, tel die bottel uit die ysbak op en maak dit weer vol.

Sebastiaan kyk na sy eie onaangeraakte glas op die tafel. Vir 'n oomblik visualiseer hy hoe hy dit teen die tafel stukkend slaan en die skerppuntsteel in Dawid se bebaarde nek druk. Draai. Dan sy bebloede hande aan sy broek afvee, 'n nuwe glas vol maak, gaan sit en stadig aan sy vonkelwyn teug terwyl die geroggel daal van forte na piano. Die bloedafdrukke wat sy vingers op die glas laat, ignoreer. Iets tussen Don Corleone se tipe benadering en 'n bendelid van die Kaapse Vlakte s'n.

In stede daarvan tel hy sy glas op en vat 'n sluk. Slegte vonkelwyn. Moedswillig trek hy sy mond effens skeef en tel die bottel uit die ysbak. Bekyk die etiket fronsend. Hy weet Dawid se oë is op hom. Neem nog 'n sluk, bekyk die etiket agterop. Druk die bottel weer in die bak.

"My nuutste MCC. Pas vrygestel," sê Dawid.

"Sterkte daarmee." Sebastiaan sit sy glas terug op die tafel.

Bande knars op die gruis en trek hulle aandag.

"A, hier's iemand nou," sê Dawid en staan vinnig op.

Toe hy weg is, sê Christina: "Wat gaan aan met jou? Wat is hierdie koue oorlog tussen jou en Dawid skielik?"

"Dis niks nie."

"Dit lyk of julle mekaar mentally bydam. Hard bliksem."

"Ek wens ek kon."

Voordat Christina nog iets kan byvoeg, kom Dawid met Wynand langs hom aangestap. Wynand dra 'n tweedbaadjie kompleet met sysakdoek in die boonste sak. Hy het 'n mandjie by hom wat hy nou eers na Dawid uithou.

"Soos belowe, my limoncello, my olywe: Cerignola-olywe gevul met geblansjeerde amandels en Manzanilla met 'n klein skeppie gorgonzola."

Hy lig 'n erdebakkie uit die mandjie en hou dit in die lug. "En natuurlik my bekende tapenade: fetakaas, songedroogde tamatie en olyf."

"Verruklik, my maat, verruklik." Dawid neem die mandjie en verdwyn die huis in. Wynand drentel agterna.

Christina skuif langs Sebastiaan in en sê onderlangs: "Ek dink 'my' is die arme woord wat die meeste deur Wynand misbruik word – mý limoncello, mý olywe, mý tapenade, mý paal in mý hol."

Sebastiaan snorklag en tel weer sy glas op.

"Gaan jy dit nou tog maar drink?"

Sebastiaan haal sy skouers op.

"Dis nie goed nie, maar dit is ook nie heeltemal ondrinkbaar nie. Ek wou maar net bietjie ruk en pluk aan Dawid se hok. En met die geselskap wat nou aangekom het, gaan ons die troepe moet inspan."

"Troepe?" vra Christina.

"Op hierdie lieflike sonskyndag sou ek sê ons begin met wit: mcc, chardonnay, chenin blanc, roussanne, van daardie pinot blanc as hy nog oor het, en as 'n laaste uitweg sauvignon blanc."

"Jý sauvignon blanc drink?"

"Kyk, 'n gehoute sauvignon blanc is nie te versmaai nie.

Maar dis 'n rariteit. Jy't 'n wynmaker met 'n fyn hand en ballas nodig om dit te kan maak."

"En dit is hoekom jy die skrywer is," lag sy. Dan staan sy weer op en stap 'n entjie weg, haar rug na Sebastiaan gedraai.

"Gaan jy vir my sê hoekom jy gefire is?" vra hy.

Christina draai nie om nie.

"Yolanda wou die storie klaar gehad het voor Anna verdwyn het. Volgens haar moes ek dit in kanne en kruike gehad het tussen middagete Dinsdag, toe sy die opdrag gegee het, en Woensdag, toe almal agtergekom het Anna is weg. Of kruip weg. Of lê iewers uitgepass. Whatever. Klaar geskryf, met foto's, dagboekuittreksels … Ek bedoel, wat de fok?"

Sebastiaan gaan staan langs haar en vat haar aan haar arm.

"Watter dagboek?"

Christina kyk hom vraend aan.

"Jy't nou net iets gesê van 'n dagboek. Watter dagboek?" vra hy dringend.

"Anna se dagboek. Sy het belowe dat ons uittreksels daaruit kan publiseer. Nou's dit ook weg. So ook my loopbaan."

"Ek dink nie so nie," sê Sebastiaan sag en stap weg.

XIV

Conradie Neethling stap stadig deur die kerk se ruie tuin na die bankie onder die eikeboom. Gaan sit met sy bene teenmekaar en sy hande wat op sy knieë rus. Die aroma van die groot katjiepiering skuins voor hom vul sy neusgate. In hierdie tuin vind hy vrede.

Hier vind hy net goedheid, geen kwaad nie. Hier het hy 'n sterker band met sy Skepper. Hier vind hy bemoediging en 'n nuwe besef van die gravitas van sy rol as tussenganger vir God en sy mense.

Hy steek sy hand in sy sak en haal die bruin koevert uit. Skeur dit oop. Bekyk die gekramde papier. Rudimentêre boekie saamgestel uit afgerolde papier. Op die voorste bladsy staan daar in 'n lopende handskrif: *Die Dagboek van Anna Neethling*. Hy slaan dit oop en begin lees:

19 Augustus

Dit het begin as net weer een van Dawid se paarties. Almal was genooi. Almal wat sekerlik hulle hande opgesteek het. Hy's 'n hoer. Vir aandag. Aandag vir sy middelmoot-wyn. Aandag vir hom. Die groot wynmaker. Net in sy kop. Hy koop amper al sy wyne in van Robertson. Nes sy pa. Hou die kuipe vol met "wyn" wat nooit 'n bottel gaan sien nie. Pateet. Wynand was daar met 'n mandjie vol van sy stront wat hy by 'n padstal koop en in ander botteltjies gooi. As jy enigsins 'n verstand het en by sy huis was, sou jy gesien het daar is fokkol vate vol olywe of 'n

yskas vol tapenade of rye bottels limoncello. Pretensieus. Pateet.
En ou Malan. Dié keer saam met sy vroutjie. Beskimmelde din-
getjie wat altyd aan 'n sappie of ystee teug. Drink kamstig nie.
Oë se pupille is so wyd oopgetrek dat dit lyk of sy swart irisse
ook het. Hoog. Konstant. Malan ongemaklik in sy logge lyf. Lag
te hard. Praat te veel. Warm, bedompige lug. Pateet. Maar die
prys gaan aan die grootste pateet van almal: Doktor Conradie
Neethling. Net toe ek dink die patetiese partytjie kan nie hart-
seerder word nie, staan die Doosdemoon/Demoniese Doos in die
deur. Ta-da! Wat het Dawid gedink? Ek moes geweet het. Loop
met die Bybel onder sy arm. Staan op 'n preekstoel. Spoeg onver-
draagsaamheid en skynheiligheid van bo af. Skryf boeke oor die
soeke na sin en heling. Tweederdes is aanhalings uit die Bybel.
Plagiaris. Sulke tye dat ek wens daar is 'n god sodat die Demoon
agterstallige royalties moet betaal. Asof hy nie weet dat ek weet
nie. Ek weet van hom en sy kas vol seer. Sadisme. Ek het dit aan
my lyf gevoel. Ek haat hom. Haat hom. Haat hom. En van nou af
gaan ek begin bid. Bid dat hy 'n aaklige, pynlike en vernederende
dood sterf. En selfs dít sal 'n genadedood wees.

Conradie gooi die papiere op die grond neer. Voel die steek-
pyn in sy linkerarm. Vryf dit. Laat sy hart tot ruste kom. Hy
kyk na die papiere op die grond. Haar haat vir hom brand
deur die afgerolde blaaie. Dit voel of sy vingers blase op het.

Dit maak nou sin.

Die post-verdwyning en skielike swangerskap. En kort
daarna die bundel wat 'n opsomming, 'n reis was deur die
landskap van haar haat vir hom. Elke paar bladsye was daar
'n aanklag, 'n vingerwysing. Destyds kon hy die slagoffer speel
van 'n onstabiele vrou se skryfsels. En dis is presies wat dit
was.

Wat dit is. 'n Gespuug deur iemand wat in 'n inrigting
hoort. Maar as hierdie dagboek moet uitlek … Dit kan vrae

meebring. Ongemaklike vrae. Van sy gemeente, die sinode en God behoed, die media. Hy tel weer die papiere op, blaai tot waar hy laas opgehou het en lees verder.

XV

Lloyd sluit die deur agter hom. Huiwer vir 'n oomblik en haal dan sy selfoon uit. Soek na 'n nommer en bel.

"Oom Lloyd?"

"Hallo, Adam. Hoe gaan dit?"

"Weet nie. Orraait, dink ek."

"Waar's jy?"

"By Stefan, Oom. Vriend van my van skool."

"Kom jy reg of moet ek jou kom haal? Jy kan by my bly."

"Dankie, Oom, maar ek's fine hier. Mense is nice."

"Oukei. Ek staan nou hier by julle huis. Ek ..."

"Is sy terug? Het sy teruggekom?"

Lloyd maak sy oë toe. Gods. Die opgewondenheid in die kind se stem.

"Nee. Ek's jammer. Ek wou net hoor of jy iets nodig het. Ek kan dit vir jou bring."

"O. E ... nee ... Of wag, kan Oom asseblief ons honde kos gee en bietjie balspeel met hulle?"

"Moenie jou bekommer nie. Tannie Salie langsaan kyk mooi na hulle."

Die stilte word lank. Dalk is hulle afgesny. Lloyd kyk op sy selfoon se skermpie. Nee, darem nie.

"Adam? Jy nog daar?"

"Gaan sy terugkom, Oom?" Die seun se stem is skaars hoorbaar.

"Ek weet nie. Ek wens ek het, maar ek weet nie."

"Wat doen ek as sy nie terugkom nie?"

"Ons is nog nie daar nie."

"Maar as sy nie terugkom nie. Wat dan?"

"Adam, ontspan. Ek laat weet jou sodra ek iets van haar hoor. En jy sal my laat weet? Sy het seker net 'n bietjie tyd nodig."

"Ja, Oom. Dis net ... ek het 'n brief – 'n e-pos – wat sy vir my gestuur het om vir Oom te gee ... as ... as sy eendag nie terugkom nie. Ek mag dit nie voor dan lees of vir iemand gee nie. Sy't gesê as sy nie na drie dae ... dis al drie dae."

"En jy het dit regtig nie gelees nie?"

"Nee, Oom. Ek het eintlik vergeet daarvan. En daar is 'n password op. Ek het dit probeer hack, maar kon nie. Toe sy dit vir my gestuur het, was dit interskole en so aan. Maar nou ..."

"Hou dit. Dit gaan nie nodig wees om dit vir my te gee nie."

"Is Oom seker?"

"Ja, Adam."

"Oukei. As Oom so sê."

"Of ... as dit jou sal laat beter voel, stuur dit vir my en dan hoef jy jou nie daaroor te bekommer nie."

"Oukei, Oom."

"Nou maar toe. Dan praat ons later. Mooi bly, Seuna."

"Dankie, Oom. Baai."

Lloyd sluit sy motor oop en klim in. Haal die botteltjie uit die paneelkissie. Skud 'n paar pille in sy hand uit. Sy waterbottel lê op die passasiersitplek. Sluk die pille weg. Neem lang teue van die water. Die droë mond. Die permanente droë mond. Maar steeds 'n klein prys om te betaal vir die helderheid wat sy verslawing bring. Al is dít ook nou 'n illusie. Hy neem nog 'n sluk. Dat 'n mens nou so blatant vir 'n kind kan lieg. En hy weet klaar wat in daardie brief staan. Dit is Anna se testament. Hy het reeds 'n kopie.

XVI

Stefaans stap weer by die polisiestasie in. Dit voel of hy nooit weg was nie, want dieselfde siele staan en hang en lê steeds hier rond. Dalk nie presies dieselfdes as vroeër nie, maar elke dag is die gewone kombinasie hier vergader. En die gewone reuk. Bliksem, dit stink. Dit is die oorweldigende reuk van desperaatheid, moedeloosheid, angs en skuldontkenning. Gemeng, natuurlik, met sweet, muf en jare se stof op bruin saaklêers en vergeelde blaaie – en, kan hy soms sweer, kots en bloed wat nooit behoorlik van die linoleumvloere opgevee is nie. 'n Herinnering dat die stasie 'n hok is wat alles vasvang, met binne-in dit nog 'n hok met satansterk tralies.

Hy sien nie nou kans hiervoor nie, werkplek ofte not, en draai om.

Terwyl hy oor die pad stap na die esplanade, pieng sy selfoon. In die loop lees hy die SMS, weer van 'n onbekende nommer: *Is Malan Sinclair se bajonet meer as net 'n briewemes? Vra hom. 084 259 1072.*

Dadelik skakel hy die nommer en weer kry hy slegs: "The subscriber you have dailled is not available." Hy doen nie die moeite om die ander nommer te skakel nie. Hy weet mos dit is Malan Sinclair s'n.

Hy gaan staan by Drieankerbaai en kyk uit oor die see. Die wind vreet deur sy kunsleerbaadjie en sagte druppels begin val.

XVII

"Ag, kak."

Ben skud die res van die dagga op 'n hopie uit. Frommel die nat Rizla-papiertjie op en gooi dit vies eenkant. Staar moedeloos na die hopie, die pakkie papiertjies en die boksie vuurhoutjies. Hoekom is dit so moeilik om 'n flippen zol te rol? Al is dit nie meer teen die wet nie, as die land nie so kak stadig was met alles nie, kon hy by die Spar 'n pakkie gekoop het. Klaar gerol deur 'n masjien of Chinese kinders of whatever. Kak plek, hierdie. Hy vee die dagga terug in die banksakkie. Elizabeth sal weet hoe om dit te doen, maar as hy haar gaan vra, gaan sy nou weer moan en preek. Sy is anyway op sy case.

Hy haal 'n vuurhoutjie uit die boksie en steek dit aan. Blaas dit dood. Die rokie spiraal na bo. Haal nog 'n vuurhoutjie uit. Steek dit aan. Blaas dit dood. Lê dit langs die vorige een neer. Na die vyfde een draai hy om in sy stoel en kyk na sy kamer. Sy oog vang sy skoolrugsak wat in die hoek lê. Dit is op sy sy gekeer en handboeke en lêers het uitgeval. Hy staan op en tel sy Afrikaanse voorgeskrewe boek op. Kak boek. Hy dop dit om. Agterop is die logo van Blakemore & Blakemore. Perfek.

Ben gaan sit weer by sy lessenaar. Grawe in die tweede laai. Haal die Zippo uit wat hy by sy kak oupa gesteel het. Grawe verder rond. Kry die blikkie lighter fluid wat hy gekoop het net om uit te vind die kak Zippo se wieletjie is anyway gebreek. Hy sit die boek netjies op sy lessenaar neer en spuit die vloeistof daaroor uit. Draai die boek om. Gebruik die boek om die spatsels om die boek op te vee. Neem die boksie vuurhoutjies, haal een uit, steek dit aan die brand. Laat val dit op die boek. Onmiddellik skiet daar 'n blougroen vlam op. Tevrede kyk Ben deur die rook hoe die boek se rande begin opkrul.

XVIII

Dawid sit agteroor. Strek sy bene voor hom uit. Bekyk die geselskap voor hom. Hier sit hulle almal. Almal maak of hulle tog so gemoedelik is en tog so lekker kuier. Sebastiaan en Christina sit langs mekaar. Die vonkelwyn het haar hard geklap en giggelrig gemaak en sy lag vir alles wat Sebastiaan onderlangs kwytraak, wat Dawid vermoed sarkastiese opmerkings op vaal staaltjies van Malan se kant is of iets wat Wynand in sy pseudo-wysheid deel. Wynand, met sy sysakdoek in sy bosak, kyk almal verhewe aan. En daai pols wat hy in die lug hou en so draai as hy praat. Uitgestrekte pinkie met die ring waaroor hy met sy duim vryf. Dawid gaan daardie pinkie nog afbreek. Skóón afbreek. Vir ongemakliker geselskap kon hy nie gevra het nie.

Fokken bedrieërs. Sit hulle hier omdat elkeen 'n bruinkoevert gekry het en brand om uit te vind of die ander dit ook ontvang het? Het almal – soos hy – die inskrywing oor daardie aand gekry?

Dis die enigste rede hoekom hulle gekom het. Malan sit asof sy voet op 'n landmyn is en iemand herhaaldelik vir hom sê hy moet ontspan. Ongemaklik en vreesbevange, maar wil nie te veel daaraan dink nie. Duidelik het hy dieselfde inskrywing gekry. Malan kon nog nooit veel wegsteek nie – emosies, bullshit, affairs, sy pens wat stry teen die knope van sy hemp.

Oor die ander is hy nie seker nie. Vandag is hulle geslote boeke en dit is moeilik om hulle te lees, maar dit kan die kombinasie van die drank en onderdrukte paniek wees wat hom blind en ongeletterd maak.

Maar as dit gaan oor daardie aand, kort Lloyd en Conradie. Lloyd is tien teen een op 'n trip van skok oor Anna weg is. Hy was by die partytjie, maar hy was nie in die vatekamer nie. Maar Conradie kort. Conradie kort beslis.

"Lyk my my nuwe borrels gaan goed af," sê Dawid en staan op. Hy kyk betekenisvol na Sebastiaan wat met 'n vonkelwynglas in die hand sit. Op die tafel is drie leë bottels en een is in die ysbak omgekeer. 'n Halwe bottel staan nog voor Sebastiaan. "Ek gaan haal nog botties. Ek dink dit is tyd dat ons oorslaan na my chardonnay. Verruklik, as ek dit self kan sê."

"Jy kan, ja. Want jy het dit nie self gemaak nie. Alle eer aan Charlie," sê Sebastiaan. Christina begin lag.

Dawid draai terug en kyk na Sebastiaan. Hoe heerlik gemaklik sit hy nie nou op sy morele ashopie nie. Wat hy eintlik nou wil doen, is om kalm om die tafel te loop en hom te moer. Nee, eerder 'n poesklap te gee. Is almal se vriend, maar is niemand se bondgenoot nie. Hy wil iets sê, maar bedink hom en stap weg.

Christina hou haar leë glas uit sonder om na Sebastiaan te kyk.

"Asseblief."

Sebastiaan hou haar dop. Sy vryf haar blonde hare deurmekaar en haar borste beur teen haar wit bloes.

Hy maak haar glas vol en die bottel leeg in syne. Sit sy hand op haar been, wat sy dadelik wegvee. Draai haar rug effens op hom en kyk na Malan en Wynand.

"Julle mans praat ook net oor julself. So nou klink ek op moi." Sy hou haar glas in die lug. "Op die lewe van 'n lady of leisure. Ek volg in jou voetspore, Wynand. En eintlik ook joune, Malan. Jy is 'n legende in jou eie etensuur. Julle is inspirerend."

"Is jy dan nie meer werksaam by *My Mense* nie?" vra Wynand.

"Nope." Christina maak haar glas met een teug leeg. "Gefire."

"Hoekom dan?" vra Malan.

"Anna fokken Neethling. Uiteindelik kan ek julle boys' club join. Ek is nou ook deur haar deur die ore genaai ... Ja, hier sit julle almal. Anna se grootste conquests."

Daar is 'n ongemaklike rondskuiwery, totdat Malan uiteindelik die stilte verbreek.

"Hoekom is jy afgedank oor haar?"

"Omdat ek nie in die nanosekonde tussen toe ek die opdrag gekry het en sy verkas het haar exposé kon skryf nie. In daardie nanosekonde moes ek op 'n manier haar beloofde foto's, dagboeke en Adam se pa in die hande kry. Sy het groot beloftes gemaak, toe verdwyn en in die proses my voor die bus ingestamp." Christina dop die leë bottel om bokant haar glas en skud dit. "Fokken Anna."

"Waar ... waar is die beloofde materiaal?" vra Wynand. "Sou jy dit nie in elk geval kon skryf as jy dit het nie?"

"Dis die probleem," sê Christina en beduie met haar leë glas na hom. "Sy sou dit na die kantoor bring, maar toe verdwyn sy. So, óf dis in haar kattebak waar sy haar ook al bevind, óf iemand anders het dit. Dit gaan glo om een spesifieke dagboek. Maar al wat ek weet, is dat ék dit nie het nie, want anders sou ek nie werkloos gewees het nie en nou gesit en ploeg het deur die besonderhede van haar sordid lewe." Sy sit haar glas op die tafel neer en staan op. "Ek gaan nou bietjie stap. Ek's moer dronk."

XIX

Dawid gaan staan in die kombuis en haal sy selfoon uit. Hy vee deur sy kontakte. Kry die naam wat hy soek en druk die groen knoppie.

"Conradie Neethling."

"Conradie, Dawid hier."

"Middag, Dawid. Lanklaas van jou gehoor. Gaan dit goed?"

Dawid huiwer. "Om eerlik te wees, nee. En ek weet dit gaan ook nie nou goed met jou nie. Jy het teen hierdie tyd ook die koevert gekry en sekerlik die inhoud daarvan gesien."

Daar is 'n lang stilte voordat Conradie antwoord. "Ja."

"Jy besef wat dit beteken?"

"Dit beteken niks nie."

"Wat bedoel jy? Jy kan nie so naïef wees nie!"

"Nee, dit beteken niks nie."

"Jy is naïef. Hierdie is 'n krisis. Ons moet dit beheer voordat dit óns beheer. Almal is hier. Jy moet kom." Dawid het eers gedink hy sal dalk sonder Conradie se teenwoordigheid die gemors kan uitsorteer, maar hy dink hy moet tog by wees.

"Nee, dankie. Dit gaan ek nie doen nie. Ek heg geen waarde aan hierdie ... snert nie. Dis iemand se idee van 'n siek poets."

"Jy weet dit is nie waar nie. Jy ken haar handskrif beter as enigiemand. Anna is weg. Niemand weet waar sy is nie. En iemand het haar dagboeke. Nog erger: daardie jaar se dagboek. Iemand wat genoeg geweet het om daardie dag uit te sonder. Hoekom sou ons elkeen 'n kopie gekry het as daar nie 'n agenda was nie?"

"Wat gaan dit help as ons nou almal op een ashoop sit en die noodlot bekla?"

"Noodlot bekla? Skrik wakker, Conradie. Vir vyftien jaar het ons almal gemaak of daardie aand nie gebeur het nie. Dit het. En nou haal dit ons in."

"Ek het nie deel daaraan gehad nie."

"Is jy besig om seniel te word? Natuurlik het jy deel daaraan gehad. Jy was die fokken katalisator! Jy was die poppemeester!"

"Dit is nie hoe ek dit onthou nie."

"Dit is nie hoe enigeen van ons dit onthou of wil onthou nie, maar daardie dagboek herinner ons maar net te grafies aan wat gebeur het."

"Ek distansieer my gewoon van hierdie toedrag van sake."

Dawid laat sak die selfoon en gooi sy kop agteroor. Geen wonder Anna hang konstant oor die afgrond nie. Met só 'n pa.

"Moet ek dit vir jou uitspel? Dit was ons almal. In die vatekamer. Ek, Malan, Wynand, jy. Lloyd en Sebastiaan was daar iewers, maar nie saam met ons nie. Miskien aanvanklik, ek kan nie onthou nie. Maar beslis nie later nie. En natuurlik was Anna daar. Jy het—"

"Genoeg. Ek ry nou. En na vandag skiet ek vir eens en vir altyd vir Anna, vir julle en daardie beweerde aand die niet in."

VRYDAG

Deel twee

I

Sebastiaan staan op en sluk die laaste chardonnay in sy glas weg. Hy wil die glas op die tafel neersit, maar sy koördinasie laat hom in die steek en hy misreken hom met die afstand tussen die glas en die tafelblad en die glas val flenters op die grond.

"Shit. Sorry, Dawid." Sebastiaan hurk en begin die skerwe optel – tot een daarvan in sy palm steek. Hy kyk gefassineerd hoe bloed dadelik om die glasstuk begin opwel. Toe hy dit uittrek, begin die bloed in 'n reguit straal teen sy voorarm afloop.

"O, genade," sê Wynand en hurk langs hom. "Los jy maar. Gaan versorg daardie wond."

Sebastiaan kom orent en hou sy arm in die lug.

"Kom spoel af in die kombuis. Ek het pleisters of iets daar," sê Dawid en vat hom aan sy elmboog.

"Ek's fine," mompel Sebastiaan en stap agter Dawid aan.

In die kombuis draai Dawid die kraan oop en hou Sebastiaan se arm onder die kraan. Die water verdun die bloed en spiraal by die drein af. Dawid gee hom 'n papierhanddoek aan, grawe dan in 'n laai en haal 'n pleister uit wat hy oopmaak.

"Gee jou hand hier." Hy plak die pleister op die sny en druk dit vas, dalk onnodig hard. Sebastiaan se gesig vertrek effens van die pyn.

"Weet jy regtig niks van die dagboek nie, of hou jy jou dom?" vra Dawid met sy duim nog op die pleister.

"Watter dagboek?" Sebastiaan trek sy hand weg.

"Anna se dagboek. Jy hóú jou dom. Jy het ook 'n kopie gekry."

Sebastiaan skud sy kop.

"Die ding is mos weg. Jy't gehoor wat Christina sê. Die ding is weg. En hoekom wil ek 'n kopie hê? Daai kak wat sy geskryf het, moet saam met haar op 'n brandstapel verbrand word. Fokken heks."

"Hoe bedoel jy, weg? Het sy dit nie?"

"Wie, Anna?"

"Nee, Christina."

Sebastiaan vee oor sy gesig. Dit is moeilik genoeg om regop te probeer bly sonder hierdie kriptiese ondervraging.

"Is die oorspronklike dagboek weg?" vra Dawid. "Wat bedoel jy?"

"Fokkof nou, Dawid. Ek wil niks weet van Anna of enige dagboek van haar nie. Ek weet nie waar die donnerse ding is nie. Of sy for that matter."

Dawid antwoord nie.

"Ek gaan bietjie op die bank lê. Net vir 'n oomblik my oë toemaak," sê Sebstiaan en strompel na die sitkamer.

II

Lloyd klim in sy motor, druk sy selfoon met sy skouer teen sy oor vas terwyl hy die waterbotteltjie se doppie afdraai en 'n sluk vat. Ses boodskappe. Twee van sy ontvangsdame. Wanneer is hy weer beskikbaar? Soos hy nou voel? Nooit nie. Vier van Dawid.

"Lloyd, ou maat. Ons het besluit vandag is gekanselleer weens verpligtinge om by my te kom fuif en braai. Die hele spannetjie is teenwoordig, maar ons sal nie voltallig wees sonder jou nie. Kom val in. En, soos ek vir jou gesê het toe ons laas gepraat het, hier is kak. Dit spat op ons, op jou ook, my tjom."

Die ander drie in dieselfde trant.

Lloyd druk sy selfoon in die laaier, drink die botteltjie leeg en gooi dit oor sy skouer sodat dit by die ander op die vloer voor die agtersitplek land. Hy skakel die enjin aan. Hy moet gaan. Hy wil hoegenaamd nie, maar hy moet. Anna se plan het liederlik skeefgeloop en hy moet gaan uitvind hoekom.

Anna se plan.

Hy het haar al daardie jare gelede by 'n partytjie van Dawid ontmoet. 'n Partytjie wat in 'n orgie ontaard het, wat 'n verskrikking geword het. Hy het daardie selfde aand, of eerder die oggend, in sy motor geklim en Churchhaven toe gery en daar gebly. Miskien een of twee keer stad toe gegaan. Sy praktyk het stilgestaan. Hy het en wou niemand sien nie.

Drie maande later bel sy hom. En dis die laaste keer dat hy sy selfoon aangeskakel het as hy by die Weskus gaan wegkruip het. Eers was hy verbaas dat sy selfoon enigsins gelui het, want die sein op Churchhaven is beroerd. Hy het dit geïgnoreer, maar dieselfde nommer het aanhou skakel. Uiteindelik het hy tog geantwoord.

"Lloyd, goeiedag."
"Lloyd. Anna. Anna Neethling."
"Anna?"
"Ons het by Dawid ..."
"Ek onthou," knip hy haar kort. *Eintlik wil hy net die foon in haar oor neersit.*
"Ons moet praat," sê sy met daardie hees stem van haar. *Dit is nie 'n sexy stem nie, maar soos dié van iemand wat 'n hele pakkie sigarette gerook het – of aansienlik baie gehuil het. Miskien eerder laasgenoemde.*
"Hoekom?"
"Ek dink jy weet hoekom."
"Nee, ek ..."
"Jy weet hoekom, want jy was daar. Jy het gedink niemand het jou gesien nie, maar ek het. Ek het jou gesien."
Lloyd maak sy oë toe.
"Ja. Ja, ek was daar."
"Is jy op Churchhaven? Ek is in Melkbos. Ek kan oor 'n uur by jou wees."
"Nee, dit sal nie geleë wees nie," probeer hy keer, maar sy het reeds die oproep beëindig.

Dit was nie die nimfagtige, fladderende figuur van die partytjie wat by hom aangekom het nie. Hoe sy sy nommer gekry het én geweet het waar hy bly, kon hy nooit agterkom nie. Sulke vrae het haar net haar wenkbroue laat lig en dan het sy saggies gelag en iets gesê soos: "Kennis is 'n kommoditeit, liewe Lloyd." Sy het vaal en bang gelyk. Onindrukwekkend.

208

Amper lelik. Hy het bloot die deur oopgemaak en terugge-
staan. Sy het ingekom en reguit deur die huis gestap na die
stoep en op die trappies gaan sit. Woordeloos. En amper asof
sy die huis ken. Hy was nie seker hoekom nie, maar hy het 'n
bottel wyn uitgehaal, twee glase geskink en na buite geneem.
Langs haar gaan sit. Een glas na haar toe uitgehou. Sy het
haar kop geskud en fronsend na die lagune sit en staar. En dit
was die begin van die plan. Nee, Die Plan.

"Ek het jou hulp nodig."

*"Myne? Hoekom?" Lloyd sluk omtrent die helfte van sy glas se
inhoud weg.*

"Ek is swanger."

Die glas was halfpad in die lug.

"Ek verstaan nie. Soek jy 'n dokter? Ek praktiseer nie—"

*"Dit is nie hoekom ek hier is nie. Jy was daardie aand daar en
jy het gesien wat gebeur het."*

*Lloyd aarsel. Sy is reg. Hy wás daar. En hy het niks gedoen nie.
Niks gesê nie.*

*"Ja. Ek was daar … Maar ek verstaan nie hoekom jy hier is
nie? Ons ken mekaar nie. Ja, ek was daar, maar ek het niks gedoen
nie. Ek was nie betrokke by …"*

"Ek weet van jou verslawing," val sy hom in die rede.

"Watter verslawing?"

Anna draai haar kop en kyk met opgeligte wenkbroue na hom.

"Hoe?" vra hy sag.

"Kennis is 'n kommoditeit," sê sy en kyk weer voor haar uit.

*"Wat gaan jy doen? My by die Mediese Raad aangee?" Hy neem
nog 'n sluk wyn, maar sy droë mond bly droog. Sy hand bewe liggies
en hy sit die glas langs hom neer. Die houertjie pille brand 'n gat
deur sy sak.*

*"Nee, ek gaan jou nie aangee nie. Moenie laf wees nie. Ek is nie 'n
kind wat wil klik nie. Ek het jou hulp nodig en jy het myne nodig."*

"Hoe so? Ek verstaan steeds nie."

"Ek hou dagboek. Ek skryf alles neer. Ek het alles oor daardie aand neergeskryf. Ek sal jou gaan wys waar ek my dagboeke bêre. Die huidige een is altyd by my, in my handsak, of in my bedkassie se laai, wat ek gesluit hou. Altyd. Die ander het ek ook daar weggesteek. As dit nie by my of in die laai is nie, kan jy maar weet iets het met my gebeur. Want ek het nie net oor daardie aand geskryf nie. My pa ..."

"Hoekom vertel jy my dit?"

"Want daar gaan 'n dag kom wat jy die dagboeke moet gebruik. Ek gaan die pad vat. En dan moet jy vertel wat daardie aand gebeur het. Die dagboeke sal daar wees om jou te help. Om die ander te laat onthou. Ónthou."

"Waarheen? Om wat mee te doen?"

"Om eers alles van die ander te vat. Hulle te straf. En dan sal ek van voor af begin. Ek en Adam. Ek het besluit om die kind te hou. Ek wéét dit gaan 'n seun wees. Die eerste man. Adam. Net ons twee. Ons begin vars. Skep ons eie paradys."

"Hoe weet jy dit is 'n seun?

Anna skud haar kop driftig.

"'n Dogter sal nie uit soveel donkerte kom nie."

Die stilte tussen hulle hang swaar in die Weskuslug.

"Wanneer gebeur dit?" vra Lloyd uiteindelik.

"Nie nou nie. Dit sal eers later wees. Maar jy sal weet wanneer om dit te doen. Nie nou nie. Ek gaan eers elkeen ... deurwerk. Iets vat van hulle wat hulle nooit sal terugkry nie."

"Ek verstaan nie. Wanneer? Wat gaan jy doen?"

Sy antwoord hom nie. Lloyd se kop draai. Dit voel soos 'n ingewikkelde buitelandse film wat hy kyk. 'n Aanloop tot 'n Pedro Almodóvar-drama. Of nee, eerder 'n Guillermo del Toro-bisariteit.

"Wat wil jy in ruil hê?" vra hy, maar hy vermoed reeds wat haar terme is.

"Ek sal vir niemand sê van jou verslawing nie."

"Dis afpersing." Hy lig homself op en haal die houertjie uit. *"Nee!"* Sy draai na hom en gryp sy arm vas. *Die skielike drif maak dat hy die pilhouertjie laat val. "Absoluut nie! Ek het jou hulp nodig en al wat ek in ruil kan bied, is om jóú geheim te beskerm. Besef jy nie waartoe hierdie mense in staat is nie? As hulle moet uitvind ..."*

"Dis baie melodramaties," probeer hy die drif teëwerk.

"Ek bedoel nie hulle gaan soos die mafia jou in die verbygaan doodskiet of 'n perdekop op jou bed neersit nie." Sy skud haar kop. *"Dis meer kompleks. Wat ek bedoel is ... Die een sal jou doodbid, die ander sal jou doodskryf, die derde sal jou versmoor met sy ge-kontamineerde aandag en die vierde sal jou laat verdrink. In elke scenario stap ek nie lewend daar uit nie. Sielloos en futloos."*

Hy kyk haar in die oë. *So melodramaties as wat haar woord-keuse mag wees, laat die uitdrukking wat hy daar sien hom ril.*

Terwyl Lloyd bestuur, bly hy bewus van die donkerte en reën wat oor Kaapstad uitgesak het. Die stad is so grys soos sy gemoed. Anna het hom op slinkse wyse betrek. Wat kon hulle immers aan hom doen? Hom aangee, ja. Maar op grond waar-van? Watter bewyse was daar? Het hy dan sy plig versuim? Is enige pasiënt benadeel as gevolg van sy verslawing? Nie een nie. Nooit nie. So roekeloos was hy nog nooit. Maar Anna hét die vermoë om jou in te span; sy weet hoe om die gedagte in jou kop te plant dat as jy nie saamspeel nie, nie haar besker-ming geniet nie, jy in jou moer is. Ironies genoeg, nes haar pa.

Hulle het nooit weer daaroor gepraat nie, sy het geweet hy sal die instruksies goed onthou. Nou is sy weg. Sy en daardie dagboek. Wat beteken dat sy dood is. Die doodsvonnis van een of al vier is voltrek.

By 'n rooi verkeerslig tel Lloyd die koerant op wat nog heeltyd op die passasiersitplek lê nadat hy so haastig by die padstal weg is.

Hy lees weer die berig wat hy eintlik al uit sy kop ken. Die polisieman se van is Slabbert en daar is 'n nommer by. Hy tik dit vinnig op sy selfoon in en teen die tyd wat die lig oorslaan na groen, het hy dit reeds geskakel.

Die oproep word amper dadelik beantwoord.

"Slabbert."

"E, goeiedag. Ek is Lloyd Wilsnach-Meyer. 'n Vriend van Anna Neethling."

"Ja?"

"Ek dink sy is dood."

"Ekskuus?

"Ek dink Anna is nie weg nie, sy is dood. Heel moontlik vermoor."

"Hoekom vermoed u dit?"

"Dit is 'n lang storie. Maar haar seun sit met haar testament. Hy weet nie wat daarin staan nie. Sy ma het vir hom gesê om dit vir my te gee as sy langer as drie dae weg is."

"Is jy in besit van die testament?"

"Ja. Hy het dit vir my gestuur, maar ek het dit reeds gehad. Dit word met 'n wagwoord beskerm. Die wagwoord is 'Alles-vanwaardeisweerloos'. Een woord met 'n hoofletter 'A'."

"Stuur dit asseblief vir my aan," sê Stefaans. "En dan moet jy dringend stasie toe kom."

"Ek sal, maar ek moet eers … ek is op pad na 'n groep van haar … vriende om 'n paar sake op te los. Ek het net gedink ek noem dit solank en jy kan na die testament kyk."

"Is Malan Sinclair een van hierdie vriende?"

"Ja," antwoord Lloyd versigtig.

"Wynand du Toit?"

"Ja."

"En Sebastiaan Barnard?"

"Ja, hoe het …"

"Wie nog?"

"Conradie. Of ek neem so aan. Conradie Neethling. Haar pa. En Dawid Briers."

"Waar is julle?"

"Ek is nou op pad na hulle toe. Hulle is reeds op Dawid se plaas. Buitezicht."

"Sien jou daar," sê Stefaans en beëindig die oproep.

III

Stefaans spring in sy Golf GTI en trek weg. Dit voel al hoe meer na die mees unieke en verwarrende saak waarmee hy nog te make gehad het. In werklikheid het dit maar skaars begin, tog voel dit reeds of dit teen tweehonderd kilometer per uur voortspoed. Dat een vrou se tentakels so diep, so omvattend ... omváttend kan strek.

Hy het Anna Neethling nooit ontmoet nie en daarvoor is hy diep dankbaar. Sebastiaan nooi hom elke keer na sy boekbekendstellings, maar dit is nie die plek vir hom nie. Hy was een keer daar en die mense was styf, hoor, styf. Hy en Pop het 'n glas droë wyn gedrink wat hom net dors gemaak het en toe het hulle weggeglip. Hy weet nie of Anna daar was nie, maar Malan Sinclair het die speech gelewer en daar was 'n wynmaker (was dit hierdie Dawid Briers?) wat gepraat het oor sy wyne en hoe mal hy oor Basjan se boek is. Dalk was Anna daar. Nie sy kerk se mense nie. Of soos Pop sou sê: Hulle soort ganse swem aan die ander kant van die dam.

Op Google Maps tik hy *Buitezicht* in en die Amerikaanse vrou se stem klink op. Hy skud sy kop. Op sy GPS-masjientjie het Leon Schuster se stem die pad beduie. Google Maps werk vir hom beter, maar hy sou kon doen met 'n bekende en vertroude stem.

"Fokken weird," mompel hy. Wie is hierdie Lloyd? En is dit toeval dat sy voorlopige verdagtes vandag – slegs 'n paar dae na Anna se verdwyning – almal op een plek bymekaar is? In die ou dae het hy darem 'n tipe assistent gehad. 'n

Groentjie-ondersoekbeampte of ten minste 'n konstabel, al is dit net om te help met navorsing. "Doen meer met minder," is deesdae die polisiemag se leuse. Nou doen hy noodgedwonge minder met minder.

Stefaans trap die petrolpedaal dieper in toe hy die stad agterlaat. Soos hy op die Polkadraaipad ry, flits die spoedkameras. Daardie flitse elke paar kilometer eggo op 'n manier vir hom indrukke van die saak wat deur sy kop gaan. Minnaars, uitvalle, geheime, misterieuse en kriptiese boodskappe, geskiedenisse, buite-egtelike kinders. Flits, flits, flits. Met elke flits wil-wil stukke van die legkaart in plek val. Hy wil vermoed die inkleding is gedoen en as hy net reg fokus, kan hy daardie stukke almal mooi netjies laat pas.

IV

Sebastiaan lê op die leerrusbank. Hy sit sy voet op die grond neer in 'n poging om die gemaal in sy kop in 'n mate te laat bedaar. Hy kan nooit net een glas wyn drink nie. Nee, dit moet bottels wees. Liters. Kiloliters. Hektoliters. Hy maak sy oë toe, maar die gemaal neem toe. Maak hulle weer oop en staar na die plafon. Dik houtbalke. Balke wat 'n struktuur in plek moet hou. Selfs 'n vrot een soos hierdie.

Hy kyk na die geraamde akkolades teen die muur. Diners Club se Wynmaker van die Jaar. Veritas – dubbelgoud. Michelangelo – dubbelgoud. Sommelier Selection. nwc Top 100. Platter – vyf sterre. Indrukwekkend. Net jammer die verkeerde naam staan op die sertifikate. Dawid hou vir Charlie in die donker hoeke van die kelder. Só staan hy uit. Sy verkoopsbestuurder is 'n onbevoegde Jabba the Hutt-agtige luiaard wat bloot in 'n agterkamerkantoor palette wyn na China stuur. Aardverskuiwende verkoopsvernuf. Só staan Dawid uit. Laat ander sy wyn maak of koop dit in van een of ander arme siel in 'n ko-op. Vir wyn voel hy eintlik 'n fok. Hy kon netsowel 'n grondboontjieplaas gehad het.

Die stemme buite syfer deur na Sebastiaan toe. Hy moet seker op 'n stadium weer by hulle aansluit, maar hy voel hoe sy ooglede swaarder word. Dis nie net die wyn nie. Dis 'n eksistensiële moegheid. Dis 'n moegheid wat begin het die oomblik dat hy sy eerste manuskrip by die uitgewery loop afgee het. Old school-styl. Bloedjonk met 'n bloedlusbegeerte om te skryf, om stories ver en diep te gaan haal. Dalk het sukses te vroeg gekom. Die geweldige sukses van sy eerste roman het 'n pad vir onervare skrywers oopgekloof deur die labirint wat die vorige generasie gelaat het. Dit het hulle hoop gegee dat hulle dalk ook eendag 'n groot naam in die letterkunde kan wees.

Die slaap kom nie, maar die gemaal neem darem af.

Dit het vir hom gevoel dieselfde tipe moegheid raak ondraaglik ná die partytjie hier by Dawid veertien, vyftien jaar gelede. Teen daardie tyd was sy roetine vasgelê. Slaap, skryf, swem, drink – met of sonder vriende. En weer skryf. Elke nuwe oggend vee hy die vorige aand se snert uit, skryf, drink. Toe kom Mia op die toneel. Vriendin van 'n vriendin van 'n vriendin. Min geïnteresseerd in die naam voorop sy boeke of in koerante en tydskrifte. Meer geïnteresseerd in hoe hy dink. Hoe hy verhale vertel. Hoe hy funksioneer. Wie hy regtig is. So 'n cliché: Wie hy regtig is. Asof die man met die wynglas noodwendig 'n dieper dimensie moet hê.

Mia.

Sebastiaan sit regop. Daardie naam dring deur die newel.

"Here, tog." Hy vou sy arms oor sy kop en laat rus dit op sy knieë. Trek sy vingers deur sy blonde hare. Hy knyp sy oë toe. Hy het gedink die volle herleef sou hom eers tref die oomblik dat hy die vyfjaarmerk verbysteek, maar hier is dit nou.

Pasgetroud. Mia sit elke aand by die eetkamertafel met ingekleurde hansworsgesigte. Of prente van huise met blou wolke en 'n familie van vier voor 'n huis met 'n pienk dak. Elmboog op die tafel, kop gestut, haar vingers verstrengel in haar kort, blonde hare. Sy neurie terwyl sy sterretjies op die regterkantse onderste hoek plak. Almal kry minstens een goue ster. Twee as jy binne die lyne ingekleur het. Drie as jy buite die lyne ingekleur het. Dit is die tipe mens wat sy was.

Dit was genoeg vir hom. Is dit nie maar wat almal in 'n verhouding soek nie? Om genoeg te wees. Net genoeg. Nie alles nie – dis 'n hersenskim. Genoeg. Hy het begin artikels skryf, keurverslae, soms klasgegee, ander skrywers en die uitgewers min gesien. 'n Halwe roman onaangeraak in 'n kuberwolk laat lê. Daar het 'n mate van normaliteit by sy lewe ingetree. In die aande het Mia op die kombuistoonbank gesit met Lisbeth op haar skoot terwyl hy kosmaak. Hom vertel van haar dag. Uitgevra oor die woorde wat hy rondgeskuif het. En as hy binne bereik was, het sy haar bene om sy lyf gevou en hom nader getrek en gesoen. En na die caprese-slaai gewys. Hy was nooit seker wat sy bedoel het nie. Of sy wou 'n stukkie mozzarella nou hê of hy moes méér in die slaai sit. Die idille wat 'n tamatie-en-kaasslaai kan bring.

Het hulle baklei? Natuurlik. Almal baklei. Enigiemand wat beweer dat hulle nooit met hulle partners stry nie, lieg. Daar is skakerings. Nie 'n PW Botha-vinger wat beskuldigend swaai met die wanopvatting van eie perfeksie en onskuld terwyl die ander party berispe word nie: Dis jy, dis nie ek nie. Soos 'n swaeltjie wat sy bek teen 'n standbeeld wil skerpmaak totdat dit kopaf is. En hoe harder jy skree en hoe meer jy tafels met drif omkeer bepaal natuurlik jou posisie op die rangleer. Want daar is net twee: héél bo en héél onder. Meermale is dit dan juis daardie einste aggressors wat 'n Jik-lappie oor insidente vee. Dit is mos jy, nie ek nie. Fyntrap oor die nagtegaaleiers.

Hulle hét baklei. Maar daar is die keersy – die bewys dat daar wel skakerings is. Nooit baklei nie beteken dat daar nie genoeg is om oor te verskil nie, nie nuwe standpunte of idees wat krap nie, nie haakplekke wat reggemaak word nie, nie krapperighede wat pleisters en begrip noodsaak nie, of wat skerp punte kan ronder maak sodat die wiele sagter kan loop nie. Of dit was soos 'n klip in die skoen; skud dit uit en jy loop makliker.

Maar een aand was daar tog 'n stryery wat anders was.

Dit was na aanleiding van 'n boodskap van Anna. Na soveel jare, uit die bloute. Sy het hulle so twee weke gelede by 'n piepklein restaurant in Woodstock opgemerk. Nie verras gelyk om Sebastiaan te sien toe sy na hulle tafel aangestap gekom het nie. Hom stip in die oë gekyk en Mia geïgnoreer. Net gekyk, niks gesê nie. Aan sy boarm geraak, getalm, omgedraai en weggestap. Hy het self niks gesê nie en probeer verder eet. Die geurige pasta was meteens 'n swaar bol deeg wat hy met groot slukke rooiwyn moes afdwing.

Die boodskap het twee weke later gekom. Op WhatsApp, sms, Twitter én Facebook. Dieselfde boodskap op vier verskillende platforms. As hulle nog 'n posbus gehad het, sou dit sekerlik daarin ook beland het.

Ek mis jou. Ek mis jou piel in my mond. Ek mis jou in my. Ek sien jou soos afgespreek. Kan nie wag nie. Selfde plek? Jou Anna xxx

Hy het eers daarvan bewus geword toe Mia met 'n viesverbaasde uitdrukking op haar gesig en selfoon in die lug by sy studeerkamer ingestap gekom het, waar hy besig was om voor te berei vir 'n tweedejaarsklas oor postmodernisme.

Sebastiaan druk met sy vingers teen sy ooglede. Hy kan nie hierdie golf stuit nie. Vyf jaar se terughou kon nie.

"En nou?" vra hy toe hy sien hoe sy lyk, hoe sy die selfoon vashou.

"Wat ... wat gaan aan?" Haar stem is wankelrig.

"Wat bedoel jy?"

Woordeloos gee sy haar selfoon vir hom aan. Háár selfoon. Háár boodskappe.

Sy oë het vlugtig gelees. "Wat de fok? Wie stuur sulke kak? Is dit spam?"

"Kyk van wie kom dit."

Hy kyk. En kan maar net sug.

"Babes, hierdie is bullshit. Anna probeer net weer gif saai. Jy weet mos nou ..."

"Hoe het sy my nommer gekry? Ek het haar oral geblok: Facebook, Twitter, WhatsApp, sms ..."

"Sy's 'n teef wat wil kak maak. Sy het seker 'n ander nommer gekry. Kom hier." Hy steek sy hand uit en probeer haar nader trek, maar sy staan opsy.

"Nee!" Mia ruk los. "Ons het haar nou die dag gesien en sy het na ons tafel gekom, my geïgnoreer en aan jou gevat. Niks gesê nie. Is dit hoekom?" Sy pluk die selfoon uit sy hand. "'Ek mis jou," lees sy. "Ek mis jou piel in my mond. Ek mis jou in my. Ek sien jou soos afgespreek. Kan nie wag nie. Selfde plek? Jou Anna xxx.' Hoekom stuur sy dit vir my?"

"Mia, kom nou. Dis wat sy doen. Dis wat sy met almal doen. Sy kan dit nie vat as almal om haar gelukkig is en sy nie. Sy't seker jou nommer by die skool gekry."

"Die skool gee nie selfoonnommers uit nie." Sy vee met die mou van haar rooi ligte trui oor haar oë en die nattigheid maak donker-der rooi kolle daarop. "Hoe lank gaan dit nou al aan? Is jy lief vir haar? Of is dit net seks?"

"Ek sien haar nie! Daar is niks nie!"

"Maar daar wás iets."

"Lank terug. Voor jou. Lank voor jou!"

"Voor my oë, bedoel jy seker."

"Nee!" Sebastiaan probeer Mia aan haar arm gryp.

Mia draai om en skud hom af. Hardloop by die trappe op na hulle slaapkamer. Hy sit haar agterna en toe hy daar kom, is sy reeds besig om 'n tas van die boonste rak af te haal, waarin sy blindelings klere begin gooi.

"Wat doen jy nou?"

"Ek … kan nie. Sy is nie uit jou lewe nie en daar is beslis nie plek vir albei van ons nie. Duidelik kan ek jou nie gee wat sy jou gee nie. Ek wil nie daardie waansin naby my hê nie."

"Kom hier. Asseblief. Jy oorreageer." Weer steek hy sy hand uit en probeer desperaat vatplek kry.

Mia retireer. Hy sien dit 'n oomblik te laat. Net 'n oomblik. Agter haar is die klein kuithoogte art deco-tafeltjie waarop haar

parfuum staan. Met elke tree stoot sy die tafeltjie agtertoe en ag-
tertoe. Twee botteltjies parfuum val af en spat stukkend op die
houtvloer.

    En dis wat hy 'n fraksie te laat sien.

    Mia gly op die nat vloer. Val teen die tafeltjie. Sy probeer haar
balans behou en haar arms spartel soos 'n drenkeling voordat sy en
die tafeltjie deur die ruit breek. Sebastiaan skiet vorentoe en probeer
gryp, maar hy het die domino's 'n fraksie te laat begin sien val.

V

"Hier's jy."

Stadig lig Sebastiaan sy kop op. Voor hom staan Christina met twee glase in haar hande. Sy hou een na hom toe uit. Woordeloos neem hy dit by haar. Sy gaan sit langs hom.

"Lloyd is hier," sê sy. "Conradie ook. Hemel weet hoekom Dawid almal hier wou hê. Die atmosfeer is nou so dik, 'n mens sou sweer jy word met een van Wynand se sysakdoeke versmoor. Ek dink jy was reg. Ons moes vroeër gewaai het. Hierdie middag is vreemd. Ek voel amper bang? Ek weet nie hoekom nie."

"Dis oor Anna." Sebastiaan draai die wyn stadig om in sy glas. Kyk hoe die wyn teen die wande traan.

"Ek verstaan nie. Is dit omdat ek oor haar gepraat het?"

Sebastiaan skud sy kop.

"Dit is oor haar dagboek. Die een wat weg is."

"Jy's nou baie vaag."

Sebastiaan staar na die patrone op die Persiese mat. Dit is al verbleik van jare se trap.

"Wat van die dagboek?" hou Christina aan.

"Daar was 'n partytjie. Hier. Vyftien jaar gelede. Anna het daaroor geskryf in haar dagboek. En dit het op 'n manier by elkeen van die dose op die stoep beland. Of kopieë daarvan. Ek dink Anna kry nou uiteindelik haar wraak, of sy nou dood is of nie. Dis seker hoekom sy dit vir *My Mense* wou gee."

"Waar's die dagboek?"

"Hoekom vra almal my? Ek fokken weet nie nie. Ek was

hier, maar ek was nie deel van die kak nie. Nie dat iemand my glo nie." Sebastiaan neem 'n sluk van die wyn en trek 'n gesig. "Mia het nie."

VI

Sebastiaan stap terug stoep toe. Hy voel geheel en al gedreineer. Hy steek in die deur vas en bekyk die lot wat daar in 'n kring sit. Die bose kringloop is voltrek. Malan het 'n bottel in die hand en gooi sy glas skilpaddop. Hy mors op sy hemp. Dawid sit met donker oë en rondkyk – weg is die gemoedelikheid. Conradie sit so half buite die kring. Betrag almal hovaardig, so asof hy as professor in die teologie tans verplig is om goedkoop bier saam met eerstejaars te drink. Niemand sê iets nie. Christina kom agter Sebastiaan tot stilstand en hy twyfel of hy veel van 'n skans bied teen wat begin het om te gebeur.

Lloyd staan op. Neem 'n sluk uit sy glas water. Trek sy wit hemp se kraag reg.

"Kom ons wees nou maar eerlik," begin hy. "Ons is nie hier om te kuier nie. Dit is nie hoekom Dawid ons vandag nader gehark het nie. Of, verskoon die verwysing, Conradie, maar hoekom ons hier saamgebring is onder een dak voor 'n god of die god of God nie. Die punt is: Anna is weg. My vermoede is dat sy dood is. En die rede lê hier en nou en op hierdie plaas."

"En wie het jou aangestel as hoofseun, Lloyd?" vra Wynand. Sy arm is in die lug, maar die pols staan stil. Soos 'n sekonde-wyser wat gaan staan het.

"Anna het. Vyftien jaar gelede. Drie maande na daardie aand hier, Wynand. Sy het na my toe gekom op Churchhaven. Reeds swanger. Ons het 'n onderneming aangegaan."

"Sies tog," val Wynand hom in die rede. "Jy hou haar dag-boekies veilig en speel saam as sy verdwyn-verdwyn speel en sy bly stil oor jou duidelike dwelmverslawing? Is dit die onderneming? En net omdat jou geliefde Ritalin jou nie so langtermyn opfok soos kokaïen nie, maak jou nie minder van 'n patetiese verslaafde nie. Met nul legitimiteit." Sy pseudo-Overbergse bry is meer opvallend soos sy inwendige spannings-meter styg.

Lloyd se linkeroog begin spring. Sy hand word asof magneties na sy broeksak getrek, na die moontlike verligting, ontsnapping, wegraping van hierdie oomblik, hierdie gesprek, hierdie vyandigheid. In daardie opsig was Anna reg. Hulle gaan jou nie in 'n donker systraat inwag en met 'n gebreekte bottel in die nek steek nie. Nee, veel erger. Hulle sny jou selfvertroue aan flarde. Steek gate in jou selfbeeld. Sny jou hakskeensenings af sodat jy moet kruip.

"Noem dit wat jy wil, Wynand. Maar danksy die uittreksel uit haar dagboek is almal se geheues verfris. Joune ook." Lloyd beduie na Sebastiaan. "Behalwe Sebastiaan. Hy was hier, maar hy was nie deel van julle diaboliese sin vir plesier nie. Ek neem aan jy het nie 'n kopie gekry nie?"

"Nee," sê Sebastiaan en laat rus sy kop teen die kosyn.

"Waaroor gaan dit alles? Wat is die issue met die dagboek? Watter kopie?" vra Christina saggies vir Sebastiaan, maar hy antwoord nie.

"Anna is weg," sê Lloyd weer. "Ek vermoed nie eintlik sy is dood nie. Ek wéét sy is en wat ek wel sterk vermoed, is dat een van julle iets daarmee te doen gehad het of ten minste weet wie het."

"En jy weet dit hoe?" vra Dawid en klink amper verveeld.

"Jy besef dat niemand jou ernstig opneem nie. Jy was nog altyd Anna se steekhaarbrak wat die hele tyd om haar voete gedraai het. Ou keffertjie."

"Want ek was daar, Dawid. Ek het gesien. Ek het haar daarna gesien ook – voor en na Adam se geboorte. Ek het van haar dagboeke gelees. Ek het dáárdie dagboek gelees. Ek het die nag van die negentiende se inskrywing gelees. En ek weet wat in haar testament staan."

'n Steekpyn skiet deur Malan se linkerarm. Hier is dit nou. Hier kulmineer 'n week se waansin nou. Skuldig. Dit is wat sy selfoonrekords gaan sê. Skuldig. Dit is wat sy onbereikbaarheid van Dinsdag aandui. Skuldig. Dit is wat sy geskiedenis met haar verklaar. Skuldig. Vandaar die bebloede sakdoek. Skuldig. Sy bajonet wat weg is. Skuldig. Here, God. 'n Hartaanval is sy enigste uitkomkans. Enigste uitweg met waardigheid. Nee, nie waardigheid nie. 'n Mate van onskuld. Maar slegs wat die moord betref.

'n Selfoon begin lui. Malan voel hoe sy sak vibreer. Hy spring byna orent en haal dit uit. Elaine.

"Skuus. Familiekrisis," mompel hy en stap weg. In twintig jaar was hy nog nie so bly om van Elaine te hoor soos nou nie. Hy hoef nie verder te hoor wat Lloyd sê nie. Hy wil nie hoor hoe hy op geleende tyd is nie.

"Elaine."

"Waar is jy?"

"Hoekom?"

"Waar. Is. Jy?"

"By Dawid. Op die plaas."

"Wel, dan beter jy jou donnerse gat vinnig hier kry."

Malan deins effens weg en hou die selfoon van hom af weg. Elaine vloek selde indien ooit. Dis benede haar om tot op die vlak van bergies en hulle spreektaal te daal. Haar woorde. Haar presiese woorde.

"Hoekom?"

"Jou seun het die helfte van ons huis afgebrand. In dieselfde week wat hy 'n kat vermink het."

"Wát?" roep hy uit.

"Het jy doof geraak?"

"Hoekom hoor ek nou eers daarvan?"

Elaine lag.

"Die hele goddelike week probeer ons jou lank genoeg op een plek kry dat jy die omvang van jóú fokop kan insien. Want hierdie een lê ek voor jou deur. Net joune."

"Die huis?"

"Dis vir jou die belangrikste vraag? 'Die fokken huis?'" Elaine skree nou.

"My fok, Elaine. Wat moet ek sê?"

"Die huis is weg, Malan. Ben het sy kamer, die helfte van die gastekamer en jou studeerkamer afgebrand. Die roet en water het vir die res gesorg."

"Waar is hy nou?"

"Hulle het hom hier weggeneem."

"Polisiestasie toe?"

"Hy gaan opgeneem word vir psigiatriese waarneming. Die kanse is seker skraal dat hy gou daar ontslaan sal word."

"Het jy 'n prokureur gebel?"

"My pa het gesorg vir alles, Malan."

Natuurlik het hy. Siek ou drol kry seker lekker noudat alles goeds in sy skoonseun se lewe soos Chinese vuurwerke die lug inskiet om vir spektakulêre ontploffings te sorg.

"Waar is Elizabeth?"

"By my pa."

"Dan het julle my nie nodig nie. Jy het jou pappa."

Malan druk die rooi knoppie. Die hand waarmee hy die selfoon terug in sy sak steek, bewe. Hy staan besluiteloos. Moet hy huis toe gaan? Of eerder, moet hy na die puinhoop gaan? Sy kind is toegesluit. Dit is die einde van die pad vir hom en Elaine – of amptelik, want daardie pad is lankal gesluit en intussen opgekap.

Elizabeth kan na haarself omsien. Sy het nog altyd. Dalk neem sy nog haar oupa se ryk oor. Hy was nog altyd gek oor daardie kind gewees. Dalk is Elaine reg. Dalk is dit alles sy skuld. Dan is dit beter as hulle op hulle eie aangaan, ver van hom af.

VII

"Wat sê hy? Kom hy?" vra Elizabeth. Sy ondersoek haar vleg-sel wat begin uitval het en wikkel dit los. Met haar oë op haar ma en oupa begin sy dit weer vleg.

"Wat dink jy? Natuurlik kom hy nie." Elaine sak op die rusbank neer. Daar is 'n roetstreep oor haar wang en haar hare is deurmekaar.

"Lamsak," sê Frederik Basson en gaan sit oorkant sy dog-ter en sit sy selfoon op die koffietafel neer. "Dit lyk my darem dis minder erg as wat ons gedink het. Die brand- en water-skade is beperk tot daardie drie vertrekke. Bietjie skade aan die matte in die klein sitkamer, maar niks wat nie vervang kan word nie." Anders as sy dogter, lyk hy so vars soos die opge-ruimde gesigte op die verpakking van luiers vir volwassenes.

"Waar is hy?" vra Elizabeth.

"Wie?" vra Frederik. "Ben? Jy weet mos."

"My pa."

"Saam met sy slette en misbaksels op Dawid Briers se plaas. Soort soek soort." Elaine sit meer regop en vryf aan haar hare terwyl sy na haar pa kyk. Sy tel haar pildosie van die tafel af op, maar haar pa vat dit by haar en sit dit weer neer.

"Hierdie is die einde vir hom. Wat gebeur het, is reeds verdoemend, maar nog een voet wat op die verkeerde plek trap en ek maak korte mette van hom. Hy is 'n kanker. In remmissie. Maar hy kom aggressief en hardnekkig terug. Al wat dan die kanker hokslaan, is chemo, radiasie. Wis dit uit. Wis hom uit."

"Luister na julleself," sê Elizabeth en skud haar kop. "Kanker? Hang uit saam met slette en misbaksels? Geen wonder hy is soos hy is nie. Dalk sou hy glad nie so gewees het as julle hom nie die hele tyd soos crap laat voel het nie."

Elaine bekyk haar dogter krities. "Ek voel jammer vir jou. Jammer dat jy daardie man se gene het. Want lyk my dit is die oorheersendes in jou en jou broer."

Elizabeth skud haar vlegsel oor haar skouer. Kyk eers na haar oupa en dan na haar ma. Buk af en lig haar leerrugsak se band oor haar skouer.

"Wel, ek is bly ek dra dan minder as vyftig persent van jóú gene. Of, hoe sal Ben sê? Jou kak gene. Nie dat ek aan jou óf aan hom verwant wil wees nie."

"Elizabeth …" begin haar oupa. "Ek kan verstaan dat jy ontsteld is. Jy is nog jonk. Eendag sal jy die volle omvang van die situasie besef. Moenie nou harde woorde laat val wat jy later sal berou nie. Met jou pa uit die prentjie, het jy en Ben 'n baie beter kans om die regte pad te volg, die hoogtes te bereik wat vir julle bestem is. Julle is nie Sinclairs nie, julle is Bassons. En Bassons sorg vir mekaar. Dis ons teen die res. Moet dit nooit vergeet nie."

Elizabeth kyk eers na haar ma wat weer die pildosie opgetel het en dan na haar oupa. Sy wil iets sê, maar stap uit. Buite bewe haar hande liggies terwyl sy 'n sigaret aansteek en wag dat Trevor sy selfoon antwoord.

VIII

Malan gaan sit weer en tel sy glas op. Almal sit nog net soos toe hy opgestaan het. Lloyd wil weer begin praat, maar Dawid val hom in die rede.

"Fok tog, Lloyd. Sit. Ek gaan nie dat jy jou hoogheilige septer op my werf rondswaai nie. Dis nie 'n podium waar jy kan wraak neem omdat jy die enigste een is wat sy nie genaai het nie."

"Jy weet goed dit is nie waaroor dit gaan nie," sê Lloyd.

"Dis presies wat dit is." Dawid staan op en kom 'n minuut later met sy kopie van die dagboek uit. Hy gooi dit op die tafel neer voor hy weer gaan sit. "Jy is reg, ek wou julle almal hier hê om te praat oor hierdie dagboek. Ons het almal geweet sy skryf elke fokken ding neer. Nou's sy weg – ek dink wel Lloyd oordryf al weer. Sy is nie dood nie, sy is net weer besig met haar speletjies. Wat ék wil weet, is wie het daardie dagboek en wie het die afdrukke gemaak? Nie een van ons is in 'n posisie dat ons 'n knock gaan kan vat as dit uitkom nie."

Hy kyk na Wynand, wat na Malan kyk, wat na Conradie kyk, wat in die rigting van die wingerde staar.

Malan haal sy kopie uit sy binnesak en sit dit ook op die tafel neer. Hy pak as't ware sy kaarte uit, wys sy hand. Met die uithaal het sy vingers aan die sakdoek geraak, maar hy los dit daar.

"Kom ons begin by die aand van die negentiende Augustus," sê Lloyd, wat bly staan. "Die een wat so grafies in die dagboek beskryf word."

"O, shit," fluister Christina agter Sebastiaan. "O, shit."

Sebastiaan antwoord nie. Agter hom hoor hy hoe Christina in haar handsak grawe. Sy blaai freneties en kom staan agter hom.

"'n Insident op die negentiende ... Gebeurtenis wat mense gaan skok."

Sebastiaan draai half om na haar toe.

"Waarvan praat jy?"

"My notas. Van my briefing met Yolanda oor die storie. Dit is wat Anna gesê het. Die nag van die negentiende. Dit is waaroor dit gaan. Dit is wat in die dagboek staan. En elkeen wat hier sit, was deel van daardie aand."

"Jip," sê hy.

Christina kom uit haar skuilplek en gaan staan langs hom.

"H'm? Wie van julle gaan begin? Of sal ek sommer inval?" vra Lloyd.

Niemand antwoord hom nie.

"Op 19 Augustus het jy 'n paartie hier gehou, Dawid. 'n Hengse affêre. Hoeveel mense was hier? Vyftig? Sestig?"

Dawid trek sy skouers op.

"Hoe ook al, dit was groot. Ons almal was hier. Malan, jy en Elaine. Elaine was al 'n paar kalmeerpille sterk te oordeel aan haar pupille toe ek haar gegroet het. Wynand, jy was hier saam met vrou nommer drie of vier, ek is nie seker watter een nie. Ons sal nie weet nie, want sy het groener weilvelde gaan soek die oomblik toe julle hier aangekom het. Dawid, Andrea was vir 'n rukkie hier, maar sy is toe weg. Conradie, jy het veel later eers aangekom. En Sebastiaan was alleen hier. Ek natuurlik ook." Lloyd vat 'n sluk water. "Ek weet nie hoe dit op die punt gekom het dat die partytjie skielik vatekamer toe verskuif het nie. Of eerder, dat julle vatekamer toe is nie."

"Sy het begin dans," sê Malan skaars hoorbaar.

"Skuus?" vra Lloyd en staan nader.

"Dans," kom dit harder. "Sy het op die tafel begin dans."

"Sonder onderklere." Wynand se hande is ineengevou op sy skoot. "Sy het sonder onderklere op die tafel gedans. Voor ons."

"Dit het niks met my uit te waai nie. Niks nie," sê Conradie en vou sy arms voor sy bors.

"Sy het in my oor gefluister dat sy my in die vatekamer wou ... sien." Dawid se stem is hees. "Dis toe dat ek gesê het ek gaan nog wyn haal."

"Daardie aand het ek julle probeer wegkeer van die verderf. En nou word ek oor dieselfde kam geskeer. Belaglik." Conradie se mond is op 'n tuit getrek en hy haal hard en onreëlmatig deur sy neus asem.

"Dis nie hoe ek dit onthou nie, Conradie," sê Lloyd. "En dit is nie hoe Anna dit onthou het nie." Hy tel Dawid se kopie van die tafel op en slaan dit oop.

"19 Augustus," begin hy lees. "Dit het begin as net weer een van Dawid se paarties. Almal was genooi. Almal wat sekerlik hulle hande opgesteek het. Hy's 'n hoer. Vir aandag. Aandag vir sy middelmootwyn ..."

"Ja, oukei. Ons het almal haar persepsie van ons gelees," sê Dawid.

"Sien, Conradie. Dit is nou wat ek bedoel. Anna het haar opinie oor almal gegee – en hoe driftiger, hoe meer was jy betrokke, al dan nie. En hoor wat het sy oor jou gesê: 'Ek weet van hom en sy kas vol seer. Sadisme. Ek het dit aan my lyf gevoel. Ek haat hom. Haat hom. Haat hom. En van nou af gaan ek begin bid. Bid dat hy 'n aaklige, pynlike en vernederende dood sterf. En selfs dit sal 'n genadedood wees.'"

"Ek sou sê dit plaas jou saam met ons in die voorste linie, Conradie," merk Wynand op.

"Al die besonderhede kom nog," voeg Lloyd by, "maar Wynand is reg. Van almal was sy die krasste oor jou. Want ons almal weet – wéét – hoe jy haar mishandel het. Kamstig duiwels uitgedryf. Hoekom? Sy was 'n kind! En dit was nie die eerste keer wat jy haar meedoënloos gestraf het nie. Was sy darem al uit die doeke toe jy begin het?"

Conradie sê afgemete: "Sy en haar ma het elke hou, elke korrektiewe hou, verdien."

Christina druk verby Sebastiaan en tel Malan se kopie van die tafel op. Sy stap daarmee die tuin in en raak weg. Sebastiaan kyk haar amper sonder belangstelling aan.

"Hoekom klink dit vir my asof jy hierdie spel georkestreer het, Lloyd?" Dawid sit vorentoe, sy elmboë op sy knieë. "Die enigste een wat so wit soos 'n skuimbal hier uitstap, is jy. Jy impliseer almal hier behalwe jouself. As wat jy beweer waar is, is jy skuldig aan net so 'n groot sonde."

"Wat bedoel jy?"

"Soos jy ons aanhoudend herinner, jy was daar, jy het kamstig gesien, maar jy het niks gedoen nie. By watter Nazi-kampe het die Yanks die plaaslikes gedwing om te gaan kyk na die bewyse van wat hulle voorgegee het nie gebeur het nie?

"Dachau, Auschwitz," antwoord Wynand. "Onder meer."

"Net so. Hulle moes gaan kyk na die lyke en die gaskamers en die kak waarin die Jode moes leef. Hulle het óók fokkol gedoen. Is dit nie net so erg nie? Miljoene mense word vermoor in die kamp agter jou huis en jy plant daisies en eet bockwurst."

"Dit is nie vergelykbaar nie," sê Lloyd.

"O ja, dit is," kap Wynand terug.

"Hoe weet ons jy het nie die dagboek geskryf nie?" vra Malan. Hier is 'n gaping. Hier is dalk net 'n gaping. "As julle so naby aan mekaar was, kon jy mos maklik haar handskrif nagemaak het. Met haar hulp."

"Kyk wie is wakker," laat Wynand hoor. "Welkom, Malan."

"Jy's 'n doos, weet jy?" Malan het niks meer oor om te

verloor nie. Niemand om hom aan te spreek as hy 'n verkakte skrywer 'n dwarsklap gee nie.

"Dis alles waar, maar daar is besonderhede wat nie in die dagboeke staan nie," sê Lloyd.

"Soos wat?" wil Dawid weet. "Ek het 'n moesie op my gat? Malan huil as hy naai? Wynand hou soms van 'n piel in sy hand?"

"Soos dat jy amper haar bors afgebyt het."

"Dit kon enigiemand gewees het," sê Dawid skor.

"Kon, ja. Maar daar is iets soos DNS. Spoeg op 'n lyf."

"Wat afgewas of afgevee is."

"Wat bewaar is. Foto's wat die volgende dag geneem is. En 'n volledige mediese verslag."

"Jissis." Dawid staan op en verdwyn in die huis.

IX

Christina drafstap weg van die huis. Weg van wat vir haar voel na 'n donkerte wat die hele plaas wil verswelg.

Sy kom by 'n bloekomlaning, gaan sit op 'n stomp en bekyk die gevoude papiere in haar hande. So dit is waaroor alles gaan. Sy vlek die bladsye oop. Gedeeltes uit die dagboek is afgerol net aan die een kant. Aan die ander kant is blanko blaaie. Duidelik is dit vinnig aanmekaargesit.

Sy sien dit per ongeluk raak – dat daar op die laaste blanko bladsy onder iets getik staan. Dit is afgesny, maar deur die halwe woorde kan sy tog uitmaak wat daar staan: *Graad 11 Fisiese Wetenskap*.

X

"Ek verstaan nie. Wat gaan aan?" vra Trevor.

"Ry net. Ry net!" Elizabeth haal haar selfoon uit. Begin tik. Verander van plan. Gooi dit terug in haar sak.

"Waarheen gaan ons?"

"Stellenbosch. 'n Vriend van my pa se plaas. Ek sal beduie as ons daar kom."

"Seblief, sê vir my wat aangaan. Ek is seriously besig om uit te freak, El."

"Ek het hierdie week goed gesien en gedoen wat my lewe vandag gaan verander."

"Is dit die dagboek wat ons moes afrol?"

"Ja."

"Wat staan in die dagboek?"

"Verskriklike goed. Goed wat my laat … Ek het iets gedoen omdat ek hom so verskriklik haat. Gehaat het. Ek weet nie. En dit was nadat Anna … Fok, Trevor! Ry!" Elizabeth slaan ongeduldig met haar hand op haar been.

"Wat het jy gedoen?"

"Iets wat gaan beteken dat my pa vir moord aangekla word. En hy het dit nie gedoen nie. Trev, seblief, ry. As hierdie ding uitfok en anders uitdraai …"

"Ek verstaan nie," sê Trev en versnel.

"Jy sal nie. En jy hoef ook nie."

XI

Christina draai die papiere om en begin lees.

19 Augustus

Dit het begin as net weer een van Dawid se paarties. Almal was
genooi. Almal wat sekerlik hulle hande opgesteek het. Hy's 'n hoer.
Vir aandag. Aandag vir sy middelmoot-wyn. Aandag vir hom.
Die groot wynmaker. Net in sy kop. Hy koop amper al sy wyne
in van Robertson. Nes sy pa. Hou die kuipe vol met "wyn" wat
nooit 'n bottel gaan sien nie. Pateet. Wynand was daar met 'n
mandjie vol van sy stront wat hy by 'n padstal koop en in ander
botteltjies gooi. As jy enigsins 'n verstand het en by sy huis was,
sou jy gesien het daar is fokkol vate vol olywe of 'n yskas vol tape-
nade of rye bottels limoncello. Pretensieus. Pateet. En ou Malan.
Dié keer saam met sy vroutjie. Beskimmelde dingetjie wat altyd
aan 'n sappie of ystee teug. Drink kamstig nie. Oë se pupille is
so wyd oopgetrek dit lyk of sy swart irisse ook het. Hoog. Kon-
stant. Malan ongemaklik in sy logge lyf. Lag te hard. Praat te
veel. Warm, bedompige lug. Pateet. Maar die prys gaan aan die
grootste pateet van almal: Doktor Conradie Neethling. Net toe ek
dink die patetiese partytjie kan nie hartseerder word nie, staan die
Doosdemoon/Demoniese Doos in die deur. Ta-da! Wat het Da-
wid gedink? Ek moes geweet het. Loop met die Bybel onder sy
arm. Staan op 'n preekstoel. Spoeg onverdraagsaamheid en skyn-
heiligheid van bo af. Skryf boeke oor die soeke na sin en heling.
Tweederdes is aanhalings uit die Bybel. Plagiaris. Sulke tye dat

ek wens daar is 'n god sodat die Demoon agterstallige royalties moet betaal. Asof hy nie weet dat ek weet nie. Ek weet van hom en sy kas vol seer. Sadisme. Ek het dit aan my lyf gevoel. Ek haat hom. Haat hom. Haat hom. En van nou af gaan ek begin bid. Bid dat hy 'n aaklige, pynlike en vernederende dood sterf. En selfs dít sal 'n genadedood wees.

Ons het baie gedrink. Baie. Soos gewoonlik. Sebastiaan het die musiek gaan verander. Dit was net so mooi en daar sit hulle almal. Klem hulle glase vas en is o so gemoedelik. Maar die musiek was regtig mooi en niemand het gedans nie. Ek het op die tafel geklim en gedans. My arms wyd uitgestrek en my lyf laat draai. Sulke oomblikke wat alles uit my vloei, verdamp. Alles. Dit was die laaste keer wat ek vry sou wees. Toe ek weer my oë oopmaak, het Dawid Bastard, Malan Maniak en Wynand Walging my aangestaar. Ek kon die waansinnige lus in hulle oë sien. Die lug was dik en bedompig, selfs al was ons buite. Lloyd het in die deur gestaan en kyk. Die vroue was afkeurend en het weggeloop. Snobs. Bitches met toegegroeide poese. Want hulle mans wou vir my gehad het. Vir mý. Net vir my. Al drie van hulle. Al drie. As Lloyd en Sebastiaan ook by die tafel gesit en onder my rok inge-kyk het, sou dieselfde vir hulle gegeld het. Hulle sou my ook wou gehad het.

Ek het by Dawid begin. In die verbygaan in sy oor gefluister. Vatekamer. Kry my in die vatekamer. Ek het tuinlangs na die kelder gestap. Ek was nog nie by die deur nie, toe gryp Dawid my van agter. Sy een hand om my keel. Die ander hand tussen my bene. Lig my op. Sleep-dra my na die vate. Daar het hy my opgetel en my hard op my maag neergesit op die eerste vat, wat op sy eie gestaan het. My platgedruk. Die staalband was koud onder my. En toe voel ek hoe hy homself hard in my inforseer. Die wete dat ek van nou af vir die res van sy arme lewe 'n verslawing gaan wees, het vergoed

239

vir die seer. Met elke stoot het my bloes opgeskuif, sodat my maag teen die hout geskuur het.

Voetstappe het nie gekeer dat Dawid my bene stywer vasgevat het totdat dit gevoel het my knieë se ligamente skeur nie. Jissis. Jissis. Jissis. Dis al wat hy gesê het. Toe laat los hy my, kom orent en pluk my op aan my arm. Skeur my romp af. Pluk, pluk aan my bloes totdat dit ook skeur en afval. Wynand en Malan het langs hom gestaan. Myne. Myne. Dis wat Wynand gesê het. Sy broek was reeds op sy knieë. Dawid het my teruggestamp op die vat, dit het my rug geskraap. Dis toe dat al drie op my was. Al drie. Wynand het eers sy hand in my gedruk. Tot by die kneukels. Ek weet dit goed, want hy het sy hand gedraai en die kneukels het my gemaal. Die pyn. Die pyn was verblindend. Kom. Dis wat hy vir die ander gesê het. Kom. Malan het sy piel in my mond gedruk. Wynand het sy hand uitgepluk om vir sy piel plek te maak. Gestoot en gestoot en met elke stoot 'n Neandertalgrom gegee totdat hy met 'n oerkreet gekom het. Malan het skielik opgehou. Vir Wynand weggestamp. My beurt. Fokkof. My beurt. Twee, drie keer en toe gekom. Weer homself in my mond gaan druk. Die kom was sout en dik. Wynand het weer begin om homself diep en dieper in my te druk. Dawid was ook nie klaar nie. Hy het my tiete vasgevang. Hard gedruk. My soos 'n wildehond begin eet. Met sy tande gepluk aan my tepels. Ek wou skree. Ek wou dit laat stop. Malan het tot diep agter in my keel gedruk. Gille gesmoor. Lug afgesny. Dawid se tong oor my maag, my tiete, dit het gesirkel om my tepels en dit weer vasgebyt en sy kop geskud soos die wildehond wat hy is, wat vleis probeer losskeur. Hond.

> Dis nie wat ek wou gehad het nie.
> Dis nie wat ek wou gehad het nie.
> Dis nie wat ek wou gehad het nie.

Toe hou hulle op. Wynand was nog in my, maar hy het ophou be-weeg. Malan was besig om in my mond te verslap. Dawid se tong op my tiet was stil. Nie een het beweeg nie. Ek het probeer loskom, maar hulle het my vasgedruk. Toe praat iemand. Moenie ophou nie. Naai haar. Verdryf die duiwels. Satansheks. Daar was 'n geluid. Iets het op die vloer geklap. Toe. Naai haar. Verdryf die duiwels. Malan het sy piel uit my mond getrek. Dawid het ophou lek en orent gekom. Wynand het teruggestaan.

Die eerste hou het geval. Oor my maag, met die gespe van die belt wat my lip stukkend geskeur het. En toe volg die refrein. Die ko-ninkryk van die hemel het naby gekom. Maak siekes gesond, wek dooies op, reinig melaatses, dryf bose geeste uit. Die volgende hou was net oor my maag.

Die koninkryk van die hemel het naby gekom. Dryf bose geeste uit. Na die agste of negende hou het ek dit nie meer gevoel nie. Net dit gehoor. Dryf duiwels uit. Dryf duiwels uit. Dryf duiwels uit. Dryf duiwels uit.

Hulle het my net daar gelos. Klere reggetrek en geloop. Ek dink ek het iemand bo-op die loopgang gesien. Ek is amper seker ek weet wie dit was. Nou gaan dit my beurt wees om duiwels uit te dryf. Ek sal vat van hulle. Almal wat die aand van die 19de op Buitezicht was. Ek gaan alles vat van hulle. Alles. ALLES.

XII

"Elizabeth, wag!"

Elizabeth wag nie dat die motor stilhou nie. Sy pluk die deur oop en strompel-val uit die motor. Sy beland amper voor nog 'n motor wat skielik moet rem.

Stefaans slaan rem aan en vir 'n oomblik kyk 'n blondekop meisie hom koud aan voordat sy die huis in hardloop. Hy bring sy motor net daar tot stilstand. 'n Jong man het ook net daar langs hom stilgehou en kyk haar verward agterna.

Stefaans klim uit en woordeloos stap hy en die jong man die huis binne.

XIII

"Wat het julle gedoen?" Christina kom stadig by die stoeptrappe op.

Dawid is terug op sy plek. Sebastiaan staan nog steeds katatonies in die deur. Malan hou sy glas wyn teen sy bors. Wynand se hande is op sy skoot. Min of meer waar hulle was toe sy hulle gelos het. Net Lloyd staan nie meer in die kring nie. Hy sit 'n entjie weg.

"Wat het julle gedoen?" herhaal sy. Haar stem is sag, maar sy bewe.

"Bly hieruit, Christina. Dit gaan jou nie aan nie."

Sy gooi hom met die dagboek en dit trek rakelings by sy kop verby.

"Jy is die laaste een wat moet praat, Wynand."

Conradie kom orent, maar sy steek haar hand uit en druk hom terug in sy stoel. Die ou man val teen die armleuning terug op die stoel.

"Christina …" Dawid staan op en hou sy hande paaiend voor hom.

"Sit, Dawid."

Sy draai om en kyk na Malan. Sê niks nie.

"Ek het alles onder beheer," sê Lloyd. "Wynand is reg. Jy is nie betrokke nie."

Christina gryp die naaste glas op die tafel en gooi dit na Lloyd. Dit tref die muur agter hom en spat aan stukke.

"Dawid het dit mooi opgesom," sê sy afgemete. "Jy was daar en het niks gedoen om te keer nie. Dit is amper erger. Nee, dit

is. Jy kón dit gekeer het. Jy kon die waansin gestop het. Jy kon.
Maar jy het soos 'n muishond in die donker gestaan."

Niemand sê iets nie.

"Net Sebastiaan stap sonder bloed op sy hande hier uit.
Maar sy het hom ook gestraf. Mia. Onthou julle? As dit nie vir
Anna se boodskap was nie, sou Mia nooit geval het nie."

Sebastiaan gee 'n kreun en sak stadig teen die kosyn af.

"Watter een van julle het haar vermoor? Dis waar Lloyd
nou weer reg is. Sy is nie weg nie. Sy is dood. Want die dag-
boek gee julle meer as genoeg motief om dit te kon doen. Die
dominee wat sy dogter amper doodslaan. Die liewe skrywer
wat 'n vrou verkrag het. Die bekroonde wynmaker wat 'n vrou
gemutileer het. En die renaissance-man wat 'n gewillige mee-
doener was en haar saam met die ander genaai het."

Elizabeth bars by die deur in.

"Dit was nie my pa nie! Dit was ek."

Malan spring op.

"Elizabeth! Bly stil!"

"Dit was ons. Dit was ek. Ons het haar vermoor. Ek het.
Net ek het."

Stefaans het langs haar verskyn – en maak haar op 'n stoel
sit. Trevor staan versteen agter hom. Elizabeth probeer op-
staan, maar die hand is ferm op haar skouer.

"Ek dink dis tyd dat iemand verduidelik waar Anna Neeth-
ling is," sê Stefaans.

"Jy is op die regte plek," sê Christina. "Kies een van dié ver-
kragters. Hulle hoort almal in die grootste hel wat daar op aarde
is."

"Dit was ek. Dit was ek," sê Elizabeth.

"Elizabeth." Malan se stem is futloos.

"Ons het haar gesien. Ek en Ben. Ons wou hóm sien," sy
beduie na Malan. "Ben het 'n kat se stert probeer afsny by die
skool. Ons wou met hom praat – voor die ander kon. Hy was

nie in sy kantoor nie. Sy sakdoek en instapkaart en briewemes het op sy lessenaar gelê. Ek het dit gevat. Gedink dit sou snaaks wees, of … of … ek weet nie wat ek gedink het nie. Ben het dit in sy rugsak gesit."

Niemand onderbreek haar nie.

"Ons het haar gesien. By sy kar. Sy wou iets aan sy kar doen. Ek wou keer. Maar … maar … sy het my gesien en gelag. Sy't gelag. Vir my gesê ons is patete nes ons pa. En nog 'n klomp goed. En toe steek ek haar. 'n Paar keer. Met my pa se briewemes. En ek druk die sakdoek in die bloed en vat haar dagboek. Dit het uit haar handsak geval. Daar was 'n pienk Post-It in met *My Mense* groot geskryf daarop. Dit was by … by die negentiende Augustus se inskrywing." Elizabeth val terug in die stoel.

"Nee, jy het nie," sê Stefaans bedaard. "Jy was miskien daar en het die dagboek gevat, maar dit was nie jy wat haar vermoor het nie. Hoe kon jy haar gesteek het as jy nie die briewemes by jou gehad het nie? Was dit nie net jou broer wat saam met jou daar was nie? En die briewemes was dan glo in sy rugsak?"

"Nee, dit wás ek. Ek het haar doodgemaak en toe gaan plant ek die selfoon in my pa se kantoor en ek rol daardie gedeelte af en stuur die boodskappe vir die polisie en laat Trevor hulle bel, want hulle kon haar almal doodgemaak het, maar ek was so kwaad vir my pa, ek wou hê hy moes betaal vir daardie … aand."

"Dit was nie jy nie, Elizabeth," sê Stefaans sag.

Malan is op sy voete, klem sy linkerskouer vas en prewel: "Nee, nee, nee."

Christina pluk hom aan sy arm.

"Dit was jý, was dit nie? Jy het hulle vuilwerk gedoen."

"Nee! Haar lyk was langs my kar … ek het haar so gekry. Ek het haar in Wynand se stoor gaan wegsteek, maar ek sweer dit was nie ek wat haar vermoor het nie!"

Toe sy weer aan sy arm pluk, stamp Malan haar hard weg. Christina verloor haar balans en val agteroor. Haar kop tref die hoek van die tafel met 'n dowwe slag.

"Christina!" Sebastiaan storm nader.

"Christina!"

'n Poel bloed begin dadelik om haar kop te vorm en kronkel deur haar hare. Haar linkerbeen is onder haar ingevou. Haar pols is onnatuurlik gedraai.

"Nou hét sy alles gevat," merk Dawid op en kom moeisaam orent. Hy kyk beurtelings na elkeen van sy gaste en stap dan woordeloos die huis binne.

Stefaans kom eerste tot beweging en hardloop nader, selfoon reeds teen sy oor terwyl hy buk en die vrou op die grond se voorarm oplig. Hy rammel 'n paar sinne af. Voel vir 'n polsslag. Hy kyk op na almal wat terugstaar. Skud dan stadig sy kop.

Vermiste skrywer se lyk in bisarre omstandighede gevind
Soektog eindig met nog lewensverliese
– Misdaadredaksie

'n Dubbele tragedie het hom gister op die plaas van wynmaker Dawid Briers naby Stellenbosch afgespeel. In wat as 'n fratsongeluk beskryf word, het die bekende joernalis Christina Ackerman (36) haar kop gestamp toe sy geval het. Sy is op die plek oorlede. Kort daarna is 'n skoot gehoor en is Briers (52) in sy studeerkamer met 'n noodlottige skietwond aangetref. Geen vuilspel word vermoed nie.

'n Polisie-offisier het kort voor die twee insidente op die plaas aangekom. Polisiewoordvoerder Peter Arendse het bevestig dat die vooraanstaande uitgewer Malan Sinclair (53) daarna in hegtenis geneem is in verband met die ondersoek na die verdwyning van die skrywer Anna Neethling. Haar liggaam is laat gistermiddag in 'n stoorkamer in Drieankerbaai gevind. Die stoorkamer behoort aan Wynand du Toit (60), wat na verneem word ook ten tyde van die voorvalle op Briers se plaas teenwoordig was.

Volgens betroubare bronne, is Sinclair se minderjarige seun vir psigiatriese waarneming in Valkenberg Hospitaal opgeneem en word hy ook ondervra in verband met Neethling se verdwyning en dood.

In 'n skynbaar onverwante voorval is dr. Conradie Neethling, pa van Anna, vroeg gisteraand dood in sy motor aangetref. Die polisie wou nie kommentaar lewer oor die oorsaak van sy dood nie.

Anna Neethling laat 'n seun, Adam (14), agter. Dr. Neethling was 'n wewenaar.

Geen begrafnisreëlings is nog getref nie.

Epiloog

Elizabeth staan en kyk na die beroering onder op Drieanker-baai se strandjie. Polisielint het die area lomperig versper en polisievoertuie staan die oprit toe. Wynand se stoorkamer se deure is oop en polisie en forensiese deskundiges in oorpak-ke is in 'n konstante eb en vloei. Nuuskieriges hang oor die esplanade-relings en volg die aksie. Dit lyk natuurlik of daar 'n vertoning aangebied word op die natuurlike verhoog waar Anna haar laaste buiging gemaak het. Tipies. Altyd 'n hoer vir aandag.

"Fokken slet."

Elizabeth draai om en begin in die rigting van die Seepunt-se swembad te stap. Haar selfoon in haar hand begin lui. Trevor. Sy druk dit dood. Dit lui weer. Druk dood. Ná gister se drama op die plaas, het sy nou 'n kalmte wat Trevor gaan versteur. Dié is besig om uit te freak. Next level.

"Loser."

Sy stap tot by die reusebril op die grasperk langs die espla-nade en klouter rats totdat sy héél bo op die raam sit. Die see is rustig en blou. In die verte kruier 'n vragskip en 'n seilboot vaar in die rigting van Clifton.

Dinsdag.

Sy het dit nie sien kom nie. Nie wat gebeur het nie. Nie hoe dit gebeur het nie. Nie wat die gevolge was nie.

Meneer Leysens het haar laatoggend uit die klas kom haal. Graad elf, Fisiese Wetenskap.

"Ons sukkel om jou ouers in die hande te kry," het hy kortaf op pad kantoor toe gesê. "Jou broer het 'n kat se stert probeer afsny."

Sy was nie eens verbaas nie. As haar ouers wakkerder was, sou hulle gesien het dat hulle die afgelope jaar deur drie budgies en amper al die koivisse gegaan het. Hulle sou geluister het toe Max van oorkant die pad kom vra het of iemand sy labradorhondjie gesien het. Sy dra 'n pienk bandjie. Daai bandjie lê op Ben se lessenaar.

Leysens het gebel en gebel. Ma antwoord nie, Pa gooi die telefoon neer.

"Ek sal hom huis toe vat en hom daar hou totdat Meneer met my ouers praat."

Natuurlik het sy nie. Sy het geweet die klein shit is in die kak en dit gaan haar lewe kompliseer. As daar nou nog meer aandag op die familie was, sal onderwysers begin agterkom dat sy nie skool toe gaan nie en wanneer sy daar is, is daar stringe kinders wat na 'n stywe drukkie as die klok lui, geskenkies in hulle baadjiesakke ontdek. Haar oupa is nie die enigste entrepreneur nie.

Sy en Ben is na hulle pa se kantoor. 'n Stappie van die skool af. Op pad het Ben aanhoudend gegiggel en dinge gesê soos "Classic!" en "Dit was kak cool!". Pa was nie op kantoor nie en patetiese ou Retha het aanhou sê: "Hy kom nou-nou. Hy kom nou-nou." Oupa het op 'n stadium daar opgedaag en 'n vloermoer gegooi toe Pa nie daar was nie. Hy het ook gewag en is toe later befok daar weg. Maar Pa het nie gekom nie – net weggebly. Soos gewoonlik. Soos altyd.

Hulle het in sy kantoor gewag. Ben het rondomtalie in Pa se stoel gedraai en met sy bajonetbriefoopmaker gespeel. Daai kinderagtige ding gedoen waar jy jou hand oopsper en dan vinnig in die spasies tussen die vingers met die mes steek. Hy het homself twee keer raakgesteek en dit skaars agtergekom. Klein freak. Daar was 'n bloedspatsel op die lessenaar wat sy afgevee het met 'n wit sakdoek wat langs die laptop gelê het. Ben het begin rondkrap op die lessenaar en op 'n stadium sy rugsak oopgemaak en goed daarin begin gooi. Die laaste was Pa se instapkaart. Hy kon nie ophou giggel nie.

Toe hy nie op kantoor was nie, het hulle maar gaan rondloop. Doelloos gedwaal in 'n konsentriese sirkel in die maag van Adderleystraat. Vida e Caffè-wegneemkoffies halfgedrink weggegooi. Vingermerke op vertoonvensters gelaat. Drie Peter Stuyvesant-sigarette by die Somaliër langs Edgars gekoop en voor die Hungry Lion aangesteek. Op pad het Ben 'n das afgerem en in 'n oorvol blou asblik met sigaretbrandkolle gegooi. Sy trui oor sy kop getrek en in 'n verbaasde bergie in 'n verweerde WP-trui se hande gedruk.

Terug.

Spitstyd.

Mense wat vlug uit bedompige kantore. By deure uitkom asof die torings agter hulle begin tuimel, verbete asof Katrina hulle inhaal.

Hulle het geweet hy sou nou nie meer op kantoor wees nie. Hy sou ook al gevlug het. Soos gewoonlik.

Maar hulle moes hom inhaal. Moes met hom praat.

Dalk is sy kar nog hier.

Op by die nooduitgang se trappe. Teen die grein.

Level 1. Gepeupel.

Level 2. Gatkruipers.

Level 3. Gatlekkers.

Level 4. Gatte.

Sy blou Audi het verlate op die gewone plek gestaan. Maar toe was sy daar. Sý. Anna fokken Neethling. Met 'n bos sleutels in haar hand. Vooroorgebuig. Sy het 'n trui bo-oor 'n bloes aangehad en die trui het bly dreig om haar te verswelg. Haar groot, swart handsak met die goue gespes wou aanmekaar van haar arm afgly. Sy het dit woedend neergegooi. Alles het uitgeval, uitgerol en 'n slordige halfkring om haar gevorm.

"Hei!" het Ben geskree. "Jou kak! Wat doen jy!"

Anna het stadig orent gekom. Vir 'n sekonde verbaas gelyk en toe begin lag.

"Kyk wie is hier. Die pateet se patetiese kinders. Ek is besig om julle pa se kar op te fok voordat ek sy lewe opfok."

Ben het witgesig van woede na haar gedraai. "Doen iets!"

Sy het hom nadergetrek en omgedraai, sy rugsak oopgezip, die bajonet uitgehaal en dit in sy hand gestop.

"Doen jý iets."

Ben was by Anna voordat sy iets op die kar se deur kon uitkrap. Dalk sou dit 'n gedig of iets meer makaber gewees het. Wie sal nou weet?

Ben het die bajonet opgelig voordat sy besef het hy staan langs haar.

Ben het haar vier keer in die bors gesteek voordat sy sy naam kon sê.

Hy het gebuk en die mes aan haar broek afgevee voordat hy weggestap het.

Anna het dit nie sien kom nie.

Sy ook nie. Nie wat gebeur het nie. Nie hoe dit gebeur het nie. Nie wat die gevolge was nie.

Sy het nader gehardloop. Anna het geroggel en haar hande het kloue geword wat desperaat in die lug gekrap het. Onder haar was 'n massiewe poel bloed wat onder die kar begin inloop het. Haar handsak het eenkant gelê. Sy het dit opgetel. Alles wat uitgeval het teruggegooi: beursie, lipstiffies, kougom, sleutels, sakdoeke, selfoon. En 'n boek. *Die Dagboek van Anna Neethling*. Daar het 'n pienk Post-it-nota uitgesteek. Sy het daar oopgemaak en gesien daar staan *My Mense* groot op die nota geskryf. Haar oë het oor die bladsye gegaan en vasgesteek by "Malan Maniak". Skielik was sy woedend. Hierdie is Malan

Maniak se skuld. Sy het die dagboek ook in die sak gesit. Bewend die sak oor haar skouer gegooi en Ben aan die arm gegryp en weggetrek, want dié het met 'n skuins gedraaide kop gefassineerd na Anna gestaan en kyk.

Hardloop by die trappe af. Probeer om nie te dink nie. Probeer om nie te dink aan wat die klein shit nou gedoen het nie. Probeer om nie te dink aan die sak wat haar skouer deurboor nie.

Kom buite. Brainwave. Wag hier. Wag fokken hier, Ben! Grawe die instapkaart uit sy rugsak. Hardloop terug. Diensingang. Gebruik sy instapkaart om in te gaan. Weer op met die trappe na die parkeergarage. Loer versigtig om die pilaar. Niemand behalwe Anna op haar bloedtablo nie. Gaan druk die wit sakdoek versigtig in die bloed. Frommel dit op sodat die nat kant binne sit. Hoor die pieng van die hyser. Gaan kruip agter die pilaar weg. Glip weg terwyl hy haar in die kattebak laai en die vloer probeer skoonspoel. Gaan na sy kantoor wat donker en oop staan. Steek haar selfoon in sy kantoor weg.

Sy het dit regtig nie sien kom nie. Nie wat gebeur het nie. Nie hoe dit gebeur het nie. Nie wat die gevolge was nie. En veral nie hoe uitstekend dit afgeloop het nie. Ontslae van haar patetiese ouers. Ontslae van die train smash van 'n broer wat netsowel dit eendag in sy kop kon kry om háár iets aan te doen. Sit die hondsdolbrak uit voordat hy chaos veroorsaak.

Elizabeth kyk op haar horlosie. Dit is seker nou verby. Sy haal haar selfoon uit en huiwer vir 'n oomblik voordat sy 'n nommer soek en skakel.

"Oupa? Is dit verby?"

"Elizabeth ..."

Daar is 'n lang stilte en eers dink sy hulle is afgesny, maar dan gaan hy verder.

"Nee, jou pa se borgaansoek is uitgestel tot môremiddag.

Oor Ben is daar nog geen nuus nie. En ... en ek is jammer om dit vir jou te moet sê, maar ek is bevrees ek moes jou ma laat opneem. Sy het 'n algehele ineenstorting gehad na alles wat gister gebeur het."

"Ná alles wat al die jare gebeur het."

"Ekskuus?"

"Niks nie, Oupa."

Sy lek haar vinger en vee-vee oor 'n donker spatsel op haar jean. Sou dit nog van Dinsdag gewees het? "So, wat nou, Oupa?"

Haar oupa sug.

"Nou is dit net ek en jy, Elizabeth. Net ek en jy. Ons is die enigste Bassons oor. Alles wat ek is, alles wat ek het, is joune. Ons moet dit laat geld."

Ek het reeds begin, dink Elizabeth en glimlag.

Bedankings

In 2011 in 'n yskoue Berlyn het 'n idee vir 'n storie posgevat. 'n Storie wat my in 'n rigting sou stuur waar die genre opwindend en vreesaanjaend gewag het. Flitse is neergeskryf op stukkies papier, karakters is op my iPad met bevrore vingers gevorm, storielyne het ek op besige moltreine met myself bespreek. Terug op eie bodem het ek begeester begin skryf ... en na twee hoofstukke was my wind uit. Daar het baie tyd verloop tussen toe en nou, maar *Karaktermoord* sou net 'n vlietende kreatiewe bevlieging gebly het, as dit nie vir merkwaardige mense was wat my hand gevat het nie.

- **Bertus van Niekerk.** Dit is hy wat my aangemoedig het om daardie laai weer oop te trek, die twee hoofstukke af te stof en van voor af die roman te takel. Met elke sin, reël en paragraaf was hy daar as klankbord, as rasieleier, as vertrooster. Sonder die ure wat hy twee jaar lank geduldig oor 'n glas wyn of vroegoggendkoffie of 'n roomys op die strand ondersteun het, sou *Karaktermoord* in my studeerkamerlaai vergeel het.
- **Petrus du Preez.** "Daardie boek gaan nie homself skryf nie," was 'n refrein wat ek moes aanhoor as ek skelm geFacebook het tydens ons "Sharrap and write"-sessies in Stellenbosch. Ons het onsself afgesonder vir 'n dag, die skootrekenaars nadergehark, Bach of Handel opgesit en geskryf totdat ons woorde opgedroog het. Dan, terwyl Petrus merkwaardige disse optower, het ons gesels oor ons vordering (al dan nie). Die skryfproses is eensaam, skrywerskap nie.

- **Alta Diedericks.** Vandat ek kan onthou, het ek 'n boek in my hand gehad en rakke vol stories om my. My ma is die een wat gesorg het dat my storiekop nooit sonder geselskap was nie en my geleer het dat die lewe 'n vaal plek sonder woorde is. Sy het my van vroeg af gewys dat daar met lees en reis wêrelde sal oopgaan wat jou nooit weer dieselfde sal laat nie. My obsessie met albei is die grootste geskenk wat ek ooit sal ontvang,

- **Elzebet Stubbe.** Dit is nie aldag dat 'n redakteur soos Elzebet Stubbe oor jou pad kom nie. Sy is deel van die formidabele Penguin-span wat Fourie Botha met visie bestuur. Elzebet dans 'n dans met 'n skrywer. Sy lei die proses moeiteloos en met professionaliteit, sy stuur jou manuskrip met ongekende aanvoeling in die regte rigting en met humor en 'n sagte hand sorg sy dat die moeisame proses 'n avontuur is.